KODO, ZOON VAN DE SAMOERAI

Van Bert Kouwenberg verscheen bij Davidsfonds/Infodok:
De Reisgenoten

BERT KOUWENBERG

Kodo

zoon van de samoerai

Davidsfonds/Infodok

Kouwenberg, Bert
Kodo, zoon van de samoerai

© 2006, Bert Kouwenberg en Davidsfonds Uitgeverij nv
Blijde-Inkomststraat 79-81, 3000 Leuven
Vormgeving cover: B2
Vormgeving binnenwerk: Peer de Maeyer
D/2006/2952/41
ISBN 90 5908 202 8
NUR 283
Trefwoorden: Japan, samoerai, zwaardvechten

STICHTING NEDERLANDSE
KINDERJURY
2007

Toen mijn bijl neerviel,
diep in het winterbos - plotseling,
de geur van hout.

Buson 1715-1783

---

*   Winter.

Kodo stond op. Hij raapte het dekbed van zijn slaapmat, sloeg het om zijn blote schouders en liep naar het venster. Tussen de kieren van de rieten blinden zag hij dat het die nacht had gesneeuwd. Voor hem lag het brede bevroren water van de rivier, met in de verte de witte top van de Foedji, de Eeuwige Berg. Het was moeilijk voor te stellen dat die hele wereld van sneeuw en ijs binnenkort zou ontdooien en dat het lente werd. Achter zich hoorde Kodo de deur naar de woonkamer openschuiven. Hij draaide zich om. Daar stond zijn vader. 'Kleed je warm aan, musko*. We gaan hout sprokkelen in het bos.'

Het cederbos lag achter het veerhuis. Het rook er spannend, vond Kodo, naar wilde dieren en geheimen. Hij volgde zijn vader die de zware slee voorttrok, de bijl rustend op zijn schouder. Af en toe werd de stilte verbroken door het geluid van de neerploffende sneeuw die van een hoge tak viel. Kodo drukte zijn voetstappen in die van zijn vader. Met hem kan ik niet verdwalen in het woud, dacht hij, hoe ver we ook gaan.

Zijn vader bleef staan. 'Aan het werk, musko. Ik kap de verdorde takken uit de bomen. Jij verzamelt het hout dat op de grond ligt.'

Kodo begon meteen met het rapen van de takken. Als hij er zoveel verzameld had als hij in zijn armen kon dragen, legde hij ze op een hoopje en begon opnieuw. Zo dwaalde hij af van zijn vader, die hoog in een boom was geklommen. Het geluid van de bijlslagen echode door het woud. Wat zou zijn vader trots op hem zijn als hij zag hoeveel hout hij al had verzameld. De bijl zweeg.

Kodo ging rechtop staan en snoof de geur van het winterse woud op. Vlakbij klonk een zacht, keffend geluid. In de sneeuw, aan de voet van een machtige ceder, lag een vosje. Even aarzelde Kodo. Hij wist dat vossen mensen kunnen beheksen, maar telde dat ook

---

* Musko: Zoon.

voor zo'n heel jong vosje? Voor de zekerheid maakte hij zijn wenkbrauwen nat met wat spuug. Dat was een truc om je te beschermen tegen kwade toverkracht.

Hij liep naar de boom en knielde. Voorzichtig raakte hij de roodbruine vacht van het dier aan. Hij voelde het hartje kloppen. Het vosje keek hem aan en maakte een angstig, piepend geluid.

'Waar is je moeder, kitsune-chan*?' Kodo tilde het dier op en nam het in zijn armen. Door de vacht heen voelde hij hoe het magere lijf bibberde. 'Niet bang zijn. Ik zal voor je zorgen. Ik neem je mee naar ons huis. Daar krijg je eten en een warme plek bij het vuur.'

Met het vosje in zijn armen liep hij naar zijn vader die, met een bundel takken in zijn armen, voorovergebogen bij de slee stond.

'Ik heb een vosje gevonden!' riep Kodo. 'Het is zo jong dat het nog geen kwaad kan doen. En ik heb allebei mijn wenkbrauwen natgemaakt. Mag het?'

Zijn vader legde de takken op de slee en richtte zich op. Kodo klemde het dier tegen zijn borst. 'Mag ik het meenemen? Hij heeft geen moeder meer. Toe, mag het?'

Zijn vader zei niets, maar knikte.

Kodo zette het vosje op de grond. 'Het mag, kitsune-chan. Jij blijft zitten tot ik terug ben, hoor je.' Hij rende weg, raapte het eerste bergje takken op dat hij tegenkwam en liep haastig strompelend terug. 'Ik maak een nest voor hem,' hijgde hij, 'boven op de slee. Dan kan hij lekker liggen.'

Zijn vader fronste zijn wenkbrauwen. 'Is dát al het hout dat je hebt geraapt?'

'Nee, nee. Er is meer. Véél méér!'

'Goed dan. Jij haalt eerst al het hout, daarna help ik je met het maken van je vossennest.'

Op de terugweg volgden ze hun spoor door de sneeuw. Als het opnieuw was gaan sneeuwen, was het er niet meer geweest, dacht

---

* Kitsune-chan: Vosje.

8

Kodo. Hij liep naast zijn vader voor de slee. Op de opgestapelde takken lag het vosje, als een kleine prins op zijn troon. Toen ze het woud uit kwamen, keek Kodo achterom en wees naar het veerhuis. De rook steeg op boven het schuine, rieten dak. 'Dat is ons huis, kitsune-chan.'

'Kodo, kijk!' Hij schrok van de klank in de stem van zijn vader. 'Sporen in de sneeuw. Er is een ruiter bij het veerhuis geweest.'

Kodo keek naar zijn vader die hoog boven hem uitstak, met zijn bijl opgeheven. Zijn gezicht zag bleek en grimmig, alsof het uit steen was gehouwen. 'Hij heeft drie ninja's gestuurd om ons te zoeken. Een van hen is hier geweest. Gelukkig heeft de sneeuw hem verraden.'

Kodo wist dat de ninja's geheime krijgers waren; slim, snel en sterk. 'Waarom zoeken ze ons?' vroeg hij. 'En wie heeft ze gestuurd?'

Zijn vader liet de bijl zakken. 'Straks, Kodo, als we thuis zijn.'

Zodra ze binnen waren, nam zijn vader hem mee naar zijn slaap-
kamer die aan de boskant van het veerhuis lag. Voor de fusama*
bleven ze staan.
'Ik wil je iets laten zien', zei zijn vader. Hij keek Kodo ernstig aan.
'Maar eerst moet je me beloven, dat je er niets over zult vragen.'
'Maar...'
'Vertrouw me.'
Kodo boog zijn hoofd.
Zijn vader schoof de deur open. Het zonlicht dat door de rie-
ten blinden naar binnen scheen, trok smalle witte strepen over
de plankenvloer. Ze stapten naar binnen. Het vosje volgde op zijn
wankele pootjes.
'Sluit de deur.'
Kodo schoof de fusama dicht.
Zijn vader liep naar de kast en haalde van onder zijn opgevou-
wen dekbed een lange, smalle dolk tevoorschijn. Ligt die dolk daar
altijd? vroeg Kodo zich af. Zijn vader ging in het midden van de
kamer op zijn knieën zitten.
'Kom, musko.'
Kodo ging naast hem zitten en legde zijn handen plat op zijn
knieën. Hij vroeg niets, hoewel de vragen op zijn tong brandden.
Waarom zoeken de drie ninja's ons? Wie heeft ze gestuurd? Wanneer zullen ze komen? Waarom willen ze ons kwaad doen? Hoe
kunnen we ons verdedigen?
Het vosje likte aan zijn hand. Kodo keek toe hoe zijn vader het
lemmet van de dolk in de naad tussen twee planken wrikte. Hij
lichtte een klein luik op en legde het op de vloer. Uit het donkere,
vierkante gat steeg de geur van vochtige aarde op.
'Luister,' begon zijn vader, 'de ninja's zullen in het donker ko-

---

* Fusama: Schuifdeur van hout en dik, wit papier.

men. De eerste nachten is er geen gevaar. Ik ken de ninja's, ze zullen wachten tot het vollemaan is. Als het zover is, slaap jij in deze ondergrondse schuilplaats.' Hij zweeg. En jij dan? dacht Kodo. Zijn vader pakte het luik en sloot het donker af.

Het was aan het eind van de middag. Kodo had net het vosje voor de tweede keer te eten gegeven; zijn eigen lievelingskostje, rijst met gesneden bonen. Het was stil in huis. Zijn vader werkte in de tuin die naast het veerhuis lag. Hij had gezegd dat Kodo niets over de schuilplaats mocht vragen. Hij had hem niet verboden ernaar te kijken. Met het vosje achter zich aan glipte Kodo de slaapkamer in. Hij sloot de deur en keek naar het luik in de vloer.

'Durf je nu opeens niet meer?' mompelde hij in zichzelf. 'Wat een bangerik.' Van onder het dekbed haalde hij de dolk van zijn vader tevoorschijn. Hij ging op zijn knieën voor het luik zitten en stak het lemmet tussen de planken. Voorzichtig tilde hij het luik op en boog zich voorover.

Kodo rook de aarde. 'Zie je wel', lachte hij. 'Er is daar niets, helemaal niets.' Een diepe zucht klonk uit het inktzwarte gat, gevolgd door een kille windvlaag. Geschrokken liet Kodo het luik vallen. Hij streek met zijn hand over zijn gezicht. Zijn vingers, zijn voorhoofd en zelfs zijn haar voelden ijskoud aan. Het vosje jankte zacht.

Snel krabbelde hij overeind en klemde zijn trillende hand om het handvat van zijn vaders dolk. Een donkere schim met vurige ogen bewoog over de wand van de slaapkamer en verdween als een golf in de zee in het dikke papier van de fusama.

'Hé, jij daar!' riep Kodo. Zijn stem beefde. 'Wie ben je? Vriend of vijand?'

Er kwam geen antwoord.

'Kom onmiddellijk tevoorschijn!' Kodo deed twee stappen vooruit en dreigde met het mes. 'Wat doe jij in ons huis? Maak je bekend, anders...' De punt van de dolk raakte het papier.

Een felle gloed flakkerde over de fusama en een levensgrote inktschildering van een oude man verscheen op het witte papier. Zijn lijf was broodmager. Hij droeg alleen een dun wit gewaad en zijn grijze haren staken omhoog als de haren van een penseel. Het opvallendst waren zijn ogen, die als vurige kolen in zijn hoofd brandden en heen en weer schoten.

'Denk maar niet dat ik bang voor jou ben, aardgeest', riep Kodo.

De Oude keek hem minachtend aan. 'Zie ik eruit als een gnoom, onwetende? Het is zeer onwelvoeglijk een gast met een dolk te bedreigen.'

'Ha, jij noemt mij onwelvoeglijk', riep Kodo, hoewel hij het woord niet kende. 'Jij bent zelf onwelvoeglijk en je bent onze gast niet.' Toch stopte hij het wapen weg in zijn gordel. 'Jij moet meteen weer onder de grond. Nu! zeg ik.'

'Wie denk jij dat je bent om mij te kunnen bevelen? Het is nu al de tweede maal dat jullie mijn rust verstoord hebben. Ik blijf hier boven, zolang het mij behaagt. Punt uit!'

'Ik roep mijn vader', dreigde Kodo. 'Die is samoerai. Dan zullen we zien of je nog zoveel praatjes hebt.'

De Oude leek niet onder de indruk. Hij grijnsde sluw en hield zijn hoofd schuin, alsof hij ergens naar luisterde. 'Ik hoor de oorvijgen al kletsen als jij aan hem vertelt dat je in het Onderaardse hebt gegluurd. Roep hem, onwetende, als je de moed hebt.'

Onwetende, onwelvoeglijk, oorvijgen; waarom gebruikt hij van die gekke woorden? dacht Kodo.

'Onwelvoeglijk, zei ik,' ging de Oude verder, 'maar dat is niet zo verwonderlijk met een mislukte samoerai als vader.'

'Wat zei jij daar over mijn vader, penseelkop?'

'Penseelkop! Zo grof ben ik nog nooit beledigd.' De ogen van de Oude schoten nu echt vuur en zijn haren vonkten en knetterden voor hij vervormde tot een flakkerende gloed.

'Niet weggaan, jij', riep Kodo. 'Hier blijven, zeg ik!' Maar de gloed was verdwenen zonder een spoor op het papier achter te laten.

De fusama schoof open. Daar stond Kodo's vader. 'Ik hoorde je roepen. Wat is er gebeurd?'

Kodo durfde niet te vertellen over de Oude. Het was waar dat hij

12

stiekem in het Onderaardse had gekeken. Hij voelde aan zijn oor en wees naar het vosje. 'Toen ik even niet keek, is de onwetende naar binnen geglipt. Hij is onwelvoeglijk. Daarom heb ik hem zeer op zijn kop gegeven.'

Zijn vader keek hem met opgetrokken wenkbrauwen aan. 'Goed,' zei hij, 'let voortaan beter op.'

Kodo boog. 'Het zal niet meer gebeuren.' Zijn vader draaide zich om. Toen pas zag Kodo dat hij twee zwaarden in zijn handen had; een Kortzwaard in de ene en een Langzwaard in de andere.

Tijdens het avondmaal spraken ze niet. Kodo wist dat zijn vader hem niet geloofde en dat hij er de volgende keer niet zo makkelijk van af zou komen. Toch was dat niet wat hem het meeste dwarszat. Hij voelde zich vooral schuldig tegenover het vosje.

Kodo roerde met zijn eetstokjes in de kom die voor hem op de kotatsoe** stond. Hij dacht aan de zwaarden. De rijst met bonen smaakte hem niet. Vanuit zijn ooghoek gluurde hij naar de rug van het vosje, dat bij de irori*** lag. Een zachte knal van oranje vonkjes verbrak de stilte.

Zijn vader stond op. Hij liep naar het vuur en legde er twee stukken hout op van de stapel naast de haard. 'Valt je niets op aan dit vuur?' vroeg hij.

Kodo keek aandachtig naar de vlammen. Hij wilde dolgraag ontdekken wat zijn vader bedoelde. Het vuur verspreidde een rode gloed in de kamer.

'Sluit je ogen.'

Kodo luisterde. Hij hoorde niets. Toen rook hij een onbekende, aangename geur. Hij opende zijn ogen. 'Het ruikt anders.'

Zijn vader pakte een niet-geblakerde tak uit het vuur en gaf hem aan Kodo. 'Deze tak komt van de rozenstruik in de tuin. Bij het begin van de winter heb ik de stronken gesnoeid en het hout bewaard...'

Kodo snoof de geur op. De lichte rook die van het hout afkwam, verdween als een zuchtje wind in het niets.

'Kom, musko.' Zijn vader nam de tak uit zijn hand en legde hem terug in het vuur. 'We gaan slapen. Morgen wacht ons een drukke dag.'

Kodo lag op zijn slaapmat, met het vosje aan het voeteneind. Hij sliep niet. Zijn hoofd was te vol met alles wat er die dag was voorgevallen.

---

*   Wind.
** Kotatsoe: Lage tafel waaraan op kussen wordt geknield of gezeten.
*** Irori: In de vloer verzonken open haard.

14

Ik verstop mij niet als de ninja's komen, dacht hij. Ik moet mijn vader helpen. Het duurt nog weken voor het vollemaan is. Ik ga elke dag oefenen met het Kortzwaard. Mijn vader kan mij alles leren. Hoe durft die oude gek hem een mislukte samoerai te noemen? Hij is zelf mislukt met zijn penseelkop.

Kodo geeuwde. Hoorde hij iets in huis? Hij hief zijn hoofd op en luisterde. Het enige geluid was de rustige, zachte ademhaling van het vosje. De schim was geen aardgeest, had hij gezegd. Misschien was hij een leugenaar. Iemand die zulke gekke woorden gebruikte, kon vast ook goed liegen. Ik moet hem in de gaten houden, dacht Kodo. Vannacht blijf ik wakker. Hij duwde het dekbed van zich af en ging rechtop zitten, met gekruiste benen. Hij geeuwde opnieuw Het duurde niet lang of hij was in een diepe slaap verzonken.

Zijn vader kwam binnen. Hij glimlachte en keek naar zijn zoon, die slapend waakte. Zonder enig geluid te maken kwam hij dichterbij. 'Ik moet je iets vertellen, musko,' fluisterde hij, 'ook al weet ik dat je mij niet kunt horen.' Hij zweeg even, alsof hij moed verzamelde om verder te gaan. 'Wat was je klein toen ik je verloor. Het was een verschrikkelijke nacht. In deze vreemde, lege wereld vond ik je terug. Gisternacht werd ik wakker. Hier in deze kamer lag jij te slapen, alsof het doodgewoon was. Doodgewoon, wat een stom woord is dat eigenlijk. Je was tien jaar ouder en toch herkende ik je meteen.' Hij glimlachte opnieuw. 'Je lijkt zo erg op haar.' Zijn hand ging naar zijn borst en zijn gezicht vertrok. 'Ik mis haar zo.'

Kodo geeuwde en kreunde zacht in zijn slaap.

...uit de rokerige witte mist doemden de silhouetten op van twee cedars. Een jonge vrouw, geheel gekleed in het wit, naderde de bomen. Zelfs het lint waarmee haar hoed was vastgebonden was wit. Ze zag er eenzaam en verloren uit, als een vlinder die verdwaald was in de winter. Bij de bomen bleef ze staan voor twee ronde, donkere stenen

15

die in de grond waren ingegraven; een grote en een kleine. Een plotseling opstekende wind blies door de takken. Het klonk als het ijle gezang van een sjakoehatji*.

> *De bovenste twijg*
> *Weet van 't geheime leven*
> *diep in de wortels.*

De wind ging liggen. De mist daalde neer als een dikke witte sluier en verspreidde zich over de grond...

Met een ruk ging Kodo rechtop zitten. Het was licht. Hij had toch geslapen. Vaag herinnerde hij zich zijn droom. Buiten klonk het schurende geluid van een slijpsteen. Het vosje werd wakker.

'Het was gemeen van mij, gisteren, kitsune-chan', zei Kodo zacht. 'Vergeef mij.' Hij stond op, kleedde zich aan en ging naar buiten. Het vosje huppelde met hem mee.

Zijn vader zat op zijn knieën voor de slijpsteen, waarop hij het Kortzwaard sleep. Naast hem stond een grote kan water.

Hij slijpt mijn zwaard, dacht Kodo.

'Lekker geslapen, musko?' vroeg zijn vader zonder op te kijken. Na een paar minuten veegde hij het zwaardblad schoon en bekeek het nauwkeurig van verschillende kanten. Het metaal schitterde in het door de sneeuw weerkaatsende zonlicht.

Kodo kon zijn ongeduld niet langer bedwingen. 'Gaan we nu oefenen?'

Zijn vader keek hem verbaasd aan. 'Oefenen?' vroeg hij. 'Jij?'

'Ja,' zei Kodo. 'Ik wil leren hoe ik in één slag een man kan onthoofden.'

Zijn vader keek hem ernstig aan. 'Na de ochtendsoep zullen we zien of jij het talent hebt om een samoerai te worden.'

---

* Sjakoehatji: Bamboefluit.

16

Ze stonden tegenover elkaar in de sneeuw, allebei met een bamboestok in hun hand. Kodo voelde zijn hart trillen, als een rijpe kastanje in zijn bolster.

'Sla mij met die stok,' zei zijn vader, 'zo hard je kunt.'

'Als ik u raak, gaan we dan met de zwaarden vechten?'

'Probeer het eerst met die stok.'

Kodo haalde diep adem. Hij klemde zijn handen om de stok, hief hem op en stormde met dichte ogen naar voren. Sneeuw stoof op als de wolk van een vulkaanuitbarsting. Voor hij kon uithalen, raakte zijn vader hem op zijn polsen. De stok vloog uit zijn handen en belandde met een boog in de sneeuw. Het was een gevoelige tik, maar Kodo gaf geen kik. Hij raapte zijn stok op en ging klaarstaan voor zijn volgende aanval.

Nu raakte zijn vader hem op zijn schouder. En daarna op zijn boven- en onderarmen. Hij toonde geen medelijden. Na elke mislukte poging nam Kodo zijn positie in en hij viel opnieuw aan. Zijn handen, zijn polsen, zijn armen, zijn schouders, zijn rug; alles deed zeer. Tranen van woede en pijn stonden in zijn ogen.

'Genoeg gehad?'

Kodo schudde zijn hoofd. Hij kon de stok nog nauwelijks optillen en wankelde vooruit. Zijn vader stak zijn stok tussen zijn benen, zodat hij struikelde en voorover in de sneeuw viel.

'Sukkel', snauwde zijn vader. 'Geen énkel talent!'

Kodo bleef uitgeput in de sneeuw liggen, maar zijn hand omklemde de stok.

'Jij zult nooit samoerai worden.' De woorden raakten Kodo als zweepslagen en deden meer pijn dan alle tikken die zijn vader met de stok had uitgedeeld. Met een laatste krachtsinspanning tilde hij zijn hoofd op en zag de reusachtige schaduw van zijn vader in de sneeuw naderen. De stok werd ruw uit zijn hand gerukt, zijn gezicht zakte weg in de sneeuw. Ik word wel samoerai, dacht hij, voor hij zijn bewustzijn verloor.

Kodo opende zijn ogen. Hij lag op een slaapmat in de kamer van zijn vader. Met schaamte en woede herinnerde hij zich de afstraffing. Vreemd genoeg deed zijn lijf geen pijn.

'Hoe is het met je, onwetende?' Vanaf het papier van de fusama keek de inktschildering van de Oude hem niet onvriendelijk aan.

'Ik heb geen zin in gedonder', gromde Kodo. Hij ging rechtop zitten en zag dat het vosje was weggekropen in een hoek van de kamer.

'In wat voor gemoedstoestand ben je dan wel?'

'Gemoedstoestand?'

'Ik spreek toch geen Chinees? Ik bedoel: hoe voel je je?'

'Wat gaat jou dat aan?'

'Je wilde toch geen...' de Oude giechelde even, 'gedonder, zei je?'

'Dan moet jij me niet uitdagen.' Kodo snoof. Hij rook een weeë, misselijkmakende geur.

'Bonenwrongel', zei de Oude.

'Het stinkt.'

'Maar het helpt wel. Het is een wondermiddel als je een pak rammel hebt gekregen.'

Kodo bekeek zijn armen en zijn bovenlichaam, die in witte, linnen windsels waren gewikkeld. Toen hij eraan rook, moest hij kokhalzen. *Jij zult nooit samoerai worden.* De woorden van zijn vader klonken in zijn hoofd. Het vosje kwam naar hem toe en geeuwde. Kodo keek naar de kleine vlijmscherpe tanden in zijn bek.

Ik moet sterker worden, dacht hij. Als ik elke dag oefen, word ik elke dag een beetje sterker. Hij stond op en stompte zichzelf op zijn hoofd. 'Ik zal mijn vader bewijzen dat ik géén sukkel ben. Ik ben een samoerai, net als hij.'

'Ik zal je een welgemeende raad geven, onwetende', zei de Oude. 'Het gaat om de ogen.'

'Bemoei jij je met je eigen zaken', zei Kodo. Hij had penseelkop willen zeggen, maar dat slikte hij in. Hij liep naar de fusama, schoof

18

die open en keek om naar het vosje. 'Ga je mee?'
'Ogen, onwetende. Ogen. Vergeet het niet', riep de Oude hen na.

Toen Kodo buitenkwam, stond zijn vader bij de rozenstruik aan de zijkant van het huis. Hij droeg het Langzwaard op zijn rug, het Kortzwaard stak uit zijn gordel. Kodo liep naar hem toe en keek hem aan. 'De zon gaat bijna onder, sensei*. Er zijn niet veel dagen meer voor het vollemaan is. We moeten oefenen.' Hij boog zijn hoofd.
'Weet je zeker dat je het wilt?'
Kodo knikte.
Zijn vader verwijderde de naar bonenwrongel stinkende windsels. Daarna waste hij zorgvuldig Kodo's armen, zijn bovenlichaam en zijn gezicht met sneeuw en knoopte hem een witte hoofdband om. 'Je kleren liggen in je kamer. Ik wacht hier op je.'

Zwijgend stonden ze tegenover elkaar, Kodo met het Kortzwaard en zijn vader met het Langzwaard. Allebei hielden ze het op ooghoogte en keken elkaar gespannen aan. Kodo's ogen dwaalden af, omdat hij aan de rand van het donkere cederbos het vosje zag rennen. Zat het achter een haas aan?
'Ogen', beval zijn vader.
Kodo keek zijn vader weer aan. Hij mocht zich niet laten afleiden en dwong zichzelf te blijven kijken. Hij kon niet voorkomen dat zijn ogen knipperden.
'Blijf mij aankijken.'
Kodo sperde zijn ogen wijd open. Uit zijn vaders ogen straalde een vuur dat hij niet kon weerstaan. Hij sloeg zijn ogen neer, liet zijn zwaard zakken en streek met zijn hand langs zijn wang. Op het voorhoofd van zijn vader glinsterde een zweetdruppel.
'Opnieuw. Kijk in mijn ogen.'
'Het gaat me lukken', gromde Kodo. 'Ik wil het!' Hij hief opnieuw

---

* Sensei: Meester.

het zwaard omhoog en keek zijn vader strak aan. Zijn ogen dwaalden niet af en ze knipperden niet. Hij bleef staren tot hij er duizelig van werd. Zijn knieën knikten, zijn voeten leken weg te zinken in de sneeuw, het zwaard trok aan zijn armen, maar hij bleef kijken. Hoelang kon hij dit volhouden?

'Ogen. Ogen.'

Kodo rechtte zijn rug. Zijn tenen leken zich vast te graven in de grond. Een warme gloed trok door zijn hele lijf tot aan het zwaard.

'Val aan!' riep zijn vader en hij liet zijn zwaard zakken. 'Nu!'

Kodo sprong naar voren en haalde uit. Maar hij sloeg in de lucht. Zijn vader was verdwenen. Toen Kodo zich omdraaide, zag hij dat zijn vader op de plaats stond waar hij even tevoren zelf had gestaan.

Zijn vader zei niets, maar Kodo wist dat hij geen groter compliment van hem had kunnen krijgen.

Ze herhaalden het ernstige spel met de ogen. Hoewel Kodo wist dat hij nog oneindig veel moest leren, voelde hij zich trots. De Oude van de fusama had gelijk gehad dat het bij een gevecht om de ogen ging. Ik ben erg onaardig en onbeleefd tegen hem geweest, dacht Kodo.

'Genoeg', zei zijn vader. Hij liet zijn zwaard zakken. 'Daar zijn de kraanvogels.'

Aan de overkant van de rivier naderden, in de gloed van de ondergaande zon, twee grote witte vogels. Ze landden in de sneeuw en stelden zich tegenover elkaar op.

'Kijk hoe ze dansen', zei zijn vader. 'Ze nemen afscheid van de winter en begroeten de nieuwe lente.'

De vogels bogen diep voor elkaar. Ze draaiden en hupten. Ze maakten lange passen en hoge sprongen. Ze spreidden hun vleugels en bogen en strekten hun trotse, sierlijke halzen.

'Kraanvogels kennen het geheim van het geluk', zei Kodo's vader. 'Ze blijven hun leven lang bij elkaar.'

'Hoe moet het dan als een van de twee doodgaat?' vroeg Kodo. Hij voelde de arm van zijn vader om zijn schouders. Samen keken ze naar de dansende vogels. De zon ging onder. Kodo wist dat het niet kon en toch rook hij de geur van brandend rozenhout en klonken over de bevroren rivier de klanken van een sjakoehatji. Gemoedstoestand, dacht hij. Eigenlijk is dat een heel mooi woord van die Oude.

Zag ik een bloesem
die naar haar tak terugkeerde?
Ach, 't was een vlinder.

Moritake, 1452-1549

---

* Lente.

De lente was gekomen. De rivier, bevrijd van zijn ijzige last, stroomde snel en wild. In de verte koesterde de machtige Foedji zich in de zon. Vanuit de wortels van de kersenbomen in de tuin groeide het verlangen naar de bloesems en het eerste groen. Alleen het cederbos weigerde zich over te geven en lag als een reusachtige schaduw donker en dreigend in de zon.

Kodo en zijn vader oefenden elke dag bij de rozenstruik in de tuin; 's morgens met bamboestokken en na de middag met het Langzwaard en het Kortzwaard. Kodo raakte al aardig bedreven. Regelmatig gromde zijn vader goedkeurend. Over het gevecht met de ninja's zweeg Kodo. Hij was bang dat zijn vader zou zeggen dat hij zich dan in de ondergrondse schuilplaats moest verbergen. Ik zal mijn vader helpen, dacht hij. Met ons tweeën kunnen wij ze verslaan.

Sinds de eerste les sliep Kodo 's nachts naast zijn vader in de kamer met de onderaardse schuilplaats. Het Kortzwaard en het Langzwaard lagen tussen hen in. Soms, als hij 's nachts wakker werd, probeerde Kodo te ontdekken of zijn vader sliep. Dat was niet zo. Hoe moest hij dat volhouden tot het vollemaan was? En als hij het wel volhield, was hij dan sterk genoeg om de ninja's te verslaan?

'Ik wil vannacht wakker blijven', zei Kodo op een avond.

'Waarom? Jij hebt je slaap hard nodig, musko. Wie niet slaapt, verliest zijn kracht.'

'Daarom wil ik wakker blijven.'

'Ik begrijp je niet.'

Kodo boog zijn hoofd. 'Jij slaapt nooit.'

Ze keken elkaar aan. Kodo's vader glimlachte en sloeg zijn ogen neer. 'Wat stel je voor?'

'Dat we om de beurt slapen en waken.'

Zijn vader glimlachte opnieuw. 'Goed. Jij waakt het eerste deel van de nacht en daarna ik.'

Kodo boog zijn hoofd. Zijn gezicht gloeide van trots.

Kodo zat met gekruiste benen aan het voeteneind van zijn slaapmat. Het huis was even donker en stil als het water van een diepe put. Naast zich hoorde hij de rustige ademhaling van zijn vader. Kodo dacht aan het vosje, dat nu buiten rondzwierf. Het was flink gegroeid sinds hij het in het woud had gevonden. Twee dagen geleden had zijn vader hem verboden het dier nog langer eten te geven. 'Hij moet zijn eigen maaltje bij elkaar scharrelen, Kodo. Jij kunt niet voor hem blijven zorgen.' Kodo wist dat zijn vader gelijk had en dat er een dag zou komen dat hij afscheid moest nemen van het vosje. Daar wilde hij nu niet aan denken.

Aan het eind van de middag, tijdens de tweede oefenronde van die dag, was er iets wonderlijks gebeurd waar Kodo ook achteraf niets van begreep.

Ze stonden schuin tegenover elkaar. Zijn vader gaf een teken met zijn ogen. Hij stapte vooruit, bukte en deed een snelle uitval naar Kodo's middel.

'Dat had je gedroomd', hoorde Kodo zichzelf roepen. Hij veerde hoog van de grond en vloog met vooruitgestoken benen over zijn vaders schouder, die zijn hand uitstak en zijn voeten verder omhoogduwde. Kodo maakte een salto en landde achter zijn vader op de grond. Verbaasd keken ze elkaar aan.

'Wanneer heb je dit geleerd?' vroeg zijn vader.

'Ik... ik weet het niet', stamelde Kodo. 'Het ging vanzelf.'

'Zo'n sprong over mijn schouder gaat niet vanzelf. Daar is jarenlange oefening voor nodig. Er zijn er niet veel die je dit kunstje nadoen.' Kodo had gebogen en gezwegen. Hij begreep er echt niets van.

Hij stond op van zijn slaapmat, raapte het Kortzwaard op en liep naar het venster. Met zijn vrije hand duwde hij de blinden opzij. Het licht van de maan verspreidde een zilveren nevel boven het cederbos. Hoe kan het dat ik mij er niets van herinner? dacht hij. En vader was verbaasder dan ik toen ik over zijn schouder sprong. Hij klemde zijn hand om het gevest van het zwaard en hief het op tot ooghoogte. Het maanlicht viel op het blauwige metaal van het zwaardblad. Op sommige plekken zaten donkere vlekken. Bloed-vlekken, wist Kodo, mijn vader heeft ze niet kunnen wegslijpen. Hij huiverde en staarde naar de rand van het donkere bos. Zouden de ninja's uit het woud komen of over de rivier?

Kodo keek naar de lichtbewolkte sikkel van de maan. Zijn vader had gevraagd om hem wakker te maken als de maan begon te zak-ken. Het was zover. Morgen als mijn vader in de tuin werkt, praat ik met de Oude, besloot hij. Ik zal zeer beleefd tegen hem zijn. Mis-schien weet hij hoe ik die sprong heb geleerd. Hij kende ook het geheim van de ogen. Kodo liet de blinden los en draaide zich om om zijn vader te wekken.

De morgen was voorbijgekropen. Tijdens de oefenronde met de bamboestokken aan het eind van de ochtend kon Kodo zijn gedachten er niet bijhouden. In korte tijd sloeg zijn vader tweemaal de stok uit zijn handen.

'Te weinig geslapen?

'Ik zal beter mijn best doen.' Kodo raapte de stok op en vermande zich. Toch kon hij niet voorkomen dat zijn gedachten opnieuw afdwaalden naar het gesprek met de Oude. Hoe zou hij beginnen? Zijn eerste zin moest meteen de juiste toon hebben. 'Kunt u mij alstublieft helpen?' Nee, dat klonk te onderdanig. 'U moet naar mij luisteren.' Was dat niet te brutaal? De stok werd voor de derde maal uit zijn handen geslagen.

'We stoppen.' Zijn vader wees naar een rotsblok vlak bij de struik. Ze liepen erheen en gingen naast elkaar zitten. Net als zijn vader plaatste Kodo de stok tussen zijn benen.

'Bedankt', begon zijn vader.

'Bedankt?'

'Voor je raad dat ik moest slapen. Je had groot gelijk.'

Kodo boog zijn hoofd. Hij was verrast dat zijn vader hem bedankte. Als hij dat nu ook eens deed bij de Oude op de fusama? Hem bedanken. Dát was een goed begin. Hij stond op: 'Zullen we verder gaan? Ik ben er klaar voor.'

Tijdens de rest van de oefeningen liet Kodo zich niet meer afleiden.

Kodo stond voor het lege papier van de fusama. Hij haalde diep adem, maar hij twijfelde niet.

'Bedankt', begon hij.

Tot zijn opluchting zag hij dat de schaduw verscheen en veel sneller dan de vorige keren veranderde in de inktschildering van de Oude.

'Bedankt?'

'Voor uw welgemeende raad dat het bij het zwaardvechten om de ogen gaat. U had groot gelijk.'

De Oude boog zijn hoofd.

'En het spijt me dat ik zo onbeleefd, ik bedoel natuurlijk onwelvoeglijk, tegen u ben geweest.' Nu boog Kodo zijn hoofd. 'Mag ik u iets vragen?'

'Van vragen word je wijs.'

'Het gaat hierom', ging Kodo verder. 'Bij het zwaardvechten sprong ik met een salto over mijn vaders schouder. Hij zei dat er jaren van oefening voor nodig zijn om dat te leren, maar daar herinner ik mij niets van. Hoe kan dat?'

'Wellicht...' De Oude aarzelde, alsof hij niet goed wist wat hij moest zeggen. 'Wellicht ben je het vergeten, zoals je een droom kunt vergeten.'

Kodo schudde geërgerd zijn hoofd. 'Zoiets vergeet ik niet. En ik wil u nog iets vragen. Waarom noemt u mij steeds onwetend?'

'Doe ik dat?'

'Wel zeven keer.'

'Zeven keer, zei je? Van al die zeven keren kan ik mij er niet één herinneren. Dat is toch het beste bewijs dat je iets kunt vergeten, vind je niet?'

Je liegt, dacht Kodo.

'Geloof me, jongen', zei de Oude. 'Droom en werkelijkheid zijn in deze wereld één. Probeer niet om het te begrijpen. Geef je eraan over. Het heeft alles met verbeeldingskracht te maken. Is het niet fantastisch dat je die samoeraisprong kunt maken?'

Kodo haalde zijn schouders op. 'Ik had gehoopt dat u mij meer kon vertellen.'

'Soms is het beter iets niet te weten.'

'Ik wil het wel weten.'

'Jij hebt een krachtige wil, jongen. En je bent moedig.'

'Hoe weet u dat? U kent mij helemaal niet.'

'Ik beschik over nogal wat verbeeldingskracht, al zeg ik het zelf.'

'Kunt u daarmee ook in de toekomst kijken?' vroeg Kodo. 'Dat zou goed uitkomen voor mijn vader en mij.'

De Oude schudde heftig zijn hoofd. 'Wie in de toekomst wil kijken, toont juist een tekort aan verbeeldingskracht. Ha! Het is net zo armzalig als eerst de laatste bladzijde van een boek lezen.'

Kodo had nog nooit een boek gelezen. Wat was er zo erg aan om eerst de laatste bladzijde te lezen? Hij keek de Oude aan en vroeg: 'Wie bent u eigenlijk?'

'De mensen noemen mij de Ziel van het Penseel. Voor schrijvers en dichters ben ik wat de Ziel van het Zwaard is voor een samoerai.'

'Een soort sensei?' vroeg Kodo.

'Ik leer niets, ik inspireer.'

Daar had je weer zo'n vreemd woord. 'Inspireer? Hoe gaat dat?'

'Ik reis door de wereld en verzamel en bewaar gebeurtenissen en gedachten uit het leven voor nieuwe verhalen en nieuwe gedichten.'

'En die geeft u weg?'

'O, nee! Ik strooi ze rond, als bloesemblaadjes in de wind. Het is een magisch proces met symboliek, begrijp je?'

'Nee', zei Kodo. 'Ik begrijp er geen snars van. En u moet een andere naam kiezen.'

'Waarom?'

'Omdat ik u niet steeds de Ziel van het Penseel ga noemen. Dat klinkt veel te plechtig.'

'Dus ik mag een naam kiezen en dan ga jij mij voortaan zo noemen?'

'Ja.'

Het benige gezicht van de Oude straalde. 'Dan kies ik de naam van een haikudichter', riep hij. 'Busson, Shoichi of Issa of de oude Moritake. O...' Hij hief zijn armen omhoog. 'Wat is het moeilijk om een verantwoorde keuze te maken.'

'Kan het iets zachter', zei Kodo, 'en ook wat sneller? Mijn vader kan elk moment binnenkomen.'

'Ik weet het al', jubelde de Oude. 'Ik kies voor Ichigen. Hij heeft mijn favoriete haiku geschreven. Ik zal het vers voordragen om onze vriendschap te bezegelen.' Hij schraapte zijn keel.

Al je verlangens,
Schilder ze aan de hemel!
Hij blijft altijd blauw.

'Wat vind je ervan, vriend Kodo?'
'Volgens mij blijft de hemel niet altijd blauw.'
'Verbeeldingskracht maakt het onmogelijke mogelijk, Kodo. Geloven is zien, begrijp je?'
'Nee, ik begrijp er geen snars van.'
'Snars', lachte Ichigen. 'Wat een klare taal spreek jij toch.'
Kodo haalde zijn schouders op. Ichigen bleef een rare snuiter.

Later die middag, tijdens de oefenronde met de zwaarden, moest Kodo zich dwingen om niet naar de bloedvlekken op het blad van zijn zwaard te kijken.
'Ogen, jongen. Ogen.'
'Het gaat vanzelf.'
'Niet praten. Kijken.'
Tijdens de avondmaaltijd en in Kodo's waaktijd gebeurde er niets bijzonders. Hij wekte zijn vader, kroop onder zijn dekbed en viel snel in slaap.

Het licht van de vollemaan viel, tussen de voorbijtrekkende wolken, op het water van een poel, diep in het woud. De wind fluisterde een naam die werd overgenomen door de ruisende takken van de ceders. 'Kódó... Kódó...' Het water rimpelde en leek tot leven te komen. Drie gedaantes rezen op uit de poel en waadden met grote, trage armgebaren naar de kant. Hun inktzwarte schaduwen weerspiegelden

spookachtig in het water, dat in het witte maanlicht de kleur had van geronnen bloed. 'Wráák! Wrááák!' De gedaantes klommen uit de poel en spreidden hun armen. Ze stegen op boven de bomen en verdwenen als reusachtige vleermuizen in de nacht...

'De ninja's!' schreeuwde Kodo. 'Ze komen mij halen!' Hij greep naar zijn zwaard en sprong overeind.

'Rustig, jongen, rustig.' Zijn vader probeerde hem te kalmeren.

'Ze komen uit het woud', riep Kodo. 'Ze kunnen vliegen. Ze komen, écht! Het is vollemaan.'

'Je hebt een nachtmerrie gehad.' Zijn vader nam hem mee naar het venster en duwde de blinden opzij. 'Kijk.' De brede sikkel van de maan scheen wolkeloos boven het cederbos. 'Ze komen, musko. Maar niet vannacht.'

Kodo werd gewekt door een nachtegaal. Hij zag dat de blinden voor het venster tot bovenaan waren opgerold. De lucht was hoog en blauw. Hij ging op zijn rug liggen, schoof zijn handen onder zijn hoofd en luisterde met zijn ogen dicht naar het gezang van de vogel.

Hij zingt over ons, dacht Kodo. Hij zingt dat wij dappere samoerai zijn en dat wij de ninja's zullen verslaan.

'Had je vannacht een nachtmerrie?'

Kodo opende zijn ogen. Vanaf het papier van de fusama keek Ichigen hem aan.

'Zie je niet dat ik luister? Waarom stoor je mij?'

'Je moet opstaan.'

'Jij bent mijn vader niet.' Toch stond Kodo op, hij kleedde zich aan en liep zonder iets te zeggen naar buiten.

'Wie lange tenen heeft, zal vaak struikelen', riep Ichigen hem na.

De takken van de kersenbomen in de tuin waren bedekt met witte bloesems. Kodo ging onder een van de bomen staan en snoof de geur op. 'Lente!' riep hij. 'Lente, hier ben ik.' Hij spreidde zijn armen, keek omhoog en tolde rond tot hij er duizelig van werd. Languit liet hij zich op zijn rug in het natte gras vallen. De bloesemblaadjes trilden in het lentebriesje. Ze waren als vlinders die op het punt stonden om weg te fladderen.

De hemel, hij blijft altijd blauw!

'Kom.' Voor hem rees zijn vader op, met in beide handen een zwaard. Kodo stond op en volgde hem naar hun oefenplek.

'Vandaag oefenen we met de zwaarden', zei zijn vader. 'Vanmiddag slijp ik ze. Vannacht is het vollemaan.'

Kodo's lentegevoel was in één klap verdwenen, maar hij kon zijn hoofd niet bij de oefeningen houden, zijn vader was hem telkens te snel af. Na de derde keer liet hij zijn zwaard zakken en zei: 'Het is geen schande om bang te zijn, musko.'

'Ik bén niet laf', brieste Kodo.

Hij stormde vooruit, maar struikelde over zijn voeten en viel voorover. Lange tenen, dacht hij. De Oude had alweer gelijk.

Zijn vader stak zijn hand uit en hielp hem overeind. 'Angst heeft niets met lafheid te maken. Iedere samoerai, hoe moedig ook, weet wat het is om bang te zijn.'

'Jij ook?' vroeg Kodo.

'Ik ook.'

Kodo keek zijn vader aan. 'Vertel me over je grootste gevecht', zei hij.

'Mijn grootste gevecht?'

'Ja. Vertel me hoe je vocht op leven en dood. Vertel me hoeveel mannen je doodde. Vertel me hoe je ze een voor een versloeg. En vertel me hoe trots je na afloop was.'

Zijn vader streek met zijn hand over zijn hoofd. Hij zei niets en nam een gevechtshouding aan.

Kodo greep het gevest van zijn zwaard met twee handen beet en stelde zich tegenover hem op. De rivier ruiste in de stilte van de tuin.

Waarom vertel je het me niet? dacht Kodo. Ik wil het weten. Ik ben je zoon. Hij nam een beslissing. Als jij mij niets wilt vertellen, zal ik het zelf ontdekken. Om te beginnen ga ik, zo gauw ik de kans krijg, in de onderaardse schuilplaats kijken. En over Ichigen vertel ik je lekker niets. Punt uit!

Ze waren nog in de tuin. Kodo had zijn vader goed partij gegeven. Hij zat op het rotsblok en knoopte zijn bezwete hoofdband los. Vlakbij zong de nachtegaal.

Het gezang stopte abrupt, als het dwarrelen van een bloesemblaadje dat de grond raakt. Kodo keek opzij en zag dat de jonge vos de vogel had aangevallen en zijn kop had afgebeten. Woedend greep hij een kei en smeet die naar de vos. 'Vuile moordenaar!' De steen miste op een haar de wegvluchtende vos.

Kodo keek naar de vogel die net nog zo helder zong. Zonder kop en besmeurd met zijn eigen bloed, lag hij in het zand. 'Opeens is het voorbij', zei zijn vader. 'Niets is zeker of blijvend, onthoud dat.'

Zijn vader had stoofpot met zoete aardappelen gemaakt, maar Kodo liet de maaltijd onaangeroerd voor zich staan.

'Je moet iets eten, musko', zei zijn vader bezorgd.

Kodo schudde zijn hoofd. 'Geen trek.'

Ik durf geen hoofden af te hakken, dacht hij.

Zijn vader stond op. Hij pakte een kleine fles van gekleurd aardewerk en twee bijpassende kommetjes. 'Drink dan in ieder geval iets warms.'

'Maar dat is sake!'

'De wijn zal je ontspannen.'

Zorgvuldig schonk zijn vader de beide kommetjes vol.

Kodo proefde. 'Bah!'

Zijn vader leegde het kommetje in één teug. 'Je moet het leren drinken', glimlachte hij. 'Sake is als het leven. Bitter en zoet tegelijk.'

Kodo dronk met kleine slokjes. Hij vond het niet lekker, maar het was waar dat de warme drank hem ontspande.

'En nu ga je rusten', zei zijn vader. 'Van slapen zal vanavond en vannacht niets komen.'

'En jij dan?'

'Ik moet nog veel doen om onze verdediging in orde te maken.' Kom, ik breng je naar je slaapmat.'

'Nee, nee', weerde Kodo af. 'Dat hoeft niet. Ik ben een ssjamoerai.' Wankelend stond hij op. 'Wat een sssjlap drankje, die sssjake. Nergensj lassjt van.'

Zijn vader glimlachte. Hij sloeg een arm om hem heen en leidde hem voetje voor voetje naar zijn slaapmat.

Kodo lag op zijn rug. Zijn hoofd was helder. Het kwam hem goed uit dat zijn vader in zijn gespeelde dronkenschap geloofde en dacht dat hij nu zijn roes uitsliep. Hij kwam overeind en luisterde, leunend op zijn ellebogen. Zijn vader was buiten en daar zou hij voorlopig blijven. Hij had heel wat te doen, had hij gezegd. Wat ík nodig heb, is een lantaarn, dacht Kodo. In de schuilplaats is het aardedonker. Je ziet er geen hand voor ogen. Hij stond op.

'Als ik je een welgemeende raad mag geven: Doe het níet, jongen.'

Ichigen keek Kodo vanaf de fusama aan.

'Wat niet?'

'Afdalen in het Onderaardse.'

'Bemoei jij je met je eigen zaken', snauwde Kodo. Hij had de pest in omdat de Oude had begrepen wat hij van plan was.

'Je hebt geen idee van wat je daar tegenkomt, vriend, Kodo. Vorige keer joeg alleen het duister je al schrik aan.'

'Vergeet niet dat je tegen een samoerai spreekt, Oude', riep Kodo. 'Een samoerai overwint zijn angst.'

Ichigen zweeg.

'En dan nog iets', ging Kodo verder. 'Jij noemde mij een onwetende, al was je dat later opeens vergeten. Maar als ik je een eenvoudige vraag stel over hoe ik een sprong geleerd heb, begin je ingewikkeld en bijdehand te raaskallen dat droom en werkelijkheid één zijn en heb je het over verbeeldingskracht en over de laatste bladzijde van een boek. Ha! En mijn vader vertelt mij ook niets. Dan zal ik zelf op onderzoek moeten gaan, of niet?'

Ichigen boog zijn hoofd.

'Dat dacht ik ook.'

Kodo lag plat op zijn buik op de vloer van zijn vaders slaapkamer. Met een papieren lantaarn scheen hij in het donker van de schuilplaats. Het zwakke licht van de kaars in de lantaarn drong niet door tot de vloer. Kodo richtte zich op en stak de dolk waarmee hij het luik had geopend tussen zijn obi*. Met één hand pakte hij de zijkant van de ladder vast die naar beneden leidde. Zijn voeten zochten en vonden de sporten. Met de lantaarn in zijn vrije hand,

---

* Obi: Japanse gordel om een kledingstuk mee te sluiten.

daalde hij af in het schimmige duister tot hij vaste grond voelde.

Hij liet het licht van zijn lantaarn over de lemen wanden van de schuilplaats dwalen. De ruimte was, net als een put, veel hoger dan lang of breed. De stilte was zo beklemmend dat Kodo onwillekeurig zijn keel schraapte en naar het heft van de dolk in zijn obi greep. Iets glimmends in de grond liet het trillende licht van de lantaarn weerkaatsen. Het was een metalen ring. Kodo bukte zich om de ring op te rapen, maar die bleek vast te zitten in de aarde. Hij rukte er een paar maal aan en trok een lange plank mee waardoor de binnenkant van een kist zichtbaar werd. Er lag iets in dat in een rode lap was gewikkeld. Kodo zette zijn lantaarn op de grond en trok de lap weg. Een glanzende boog, tweemaal zijn eigen lengte, kwam tevoorschijn. Ademloos keek Kodo naar het machtige wapen en strekte zijn arm om het aan te raken. Een snijdende pijnscheut sidderde door zijn borst en zwiepte hem achterover tegen de lemen wand. Het donderde en bliksemde in hem. Naar adem happend en met zijn hand op zijn borst, staarde hij naar het licht van de lantaarn. Zijn bonkende hart kwam langzaam tot rust.

Hij krabbelde overeind en kroop op handen en voeten terug naar het ontzagwekkende wapen. Het was even onvoorstelbaar als waar: de boog had hem aangevallen. En er was nog iets. Het was hem eerder overkomen. Hij herinnerde het zich, niet met zijn hoofd, maar met zijn hart.

Kodo nam de lap en bedekte de boog. Daarna sloot hij de kist af met de plank en begroef hem onder de aarde.

Kodo was niet meteen naar boven gegaan. Ondanks de vochtige kou in het Onderaardse was hij blijven zitten om na te denken. Waarom heeft de boog mij aangevallen? dacht hij. Wie heeft hem hier verborgen? Hij keek omhoog naar de opening van het luik. Als Ichigen ervan weet, moet hij het mij vertellen. Hij klom naar boven. De vos zat bij het luik te wachten.

'Zo, moordenaar', zei Kodo, maar zijn boosheid was verdwenen. Hij sloot de schuilplaats af en verborg de dolk onder het dekbed van zijn vader. Het vosje volgde hem bij iedere stap die hij deed.

'Je bent lang beneden gebleven, jongen.' De stem van Ichigen klonk bezorgd. 'Hoe is het met je?'

'Ik ben aangevallen door een reuzenboog.'

'Ik vreesde al dat het zou gebeuren.'

'Waarom?'

'Verbeeldingskracht is een gave, maar het kan zich ook tegen je keren.'

'Dus jij wist van die boog?'

De Oude boog zijn hoofd.

'Waarom heb je het mij niet verteld?'

'Vergeef me. Soms schieten woorden tekort. Ik wil niet ingewikkeld en... bijdehand doen, maar je moest het voelen om je te herinneren wat je diep vanbinnen al wist.'

Kodo streek over zijn borst. 'Ik heb het gevoeld. Vertel me wat er is met die boog, want dat weet ik nog steeds niet.'

'Ik heb liever dat je die vraag aan je vader stelt.'

'Ik vraag het jou.'

'Jongen, ik...' De Oude zweeg.

'Je durft het niet te vertellen. Lafaard!' siste hij.

Kodo hoorde zijn vader het huis binnenkomen. Hij liep hem tegemoet, met de vos achter hem aan.

---

* Aarde.

Kodo had zijn vader niet naar de boog gevraagd. Hij probeerde het een paar maal, maar het lukte niet. In de late middag keek hij toe hoe zijn vader hun zwaarden sleep. De ondergaande zon gaf het metaal een warme rode glans. Zijn vader keek op en glimlachte naar hem. Kodo huiverde, ondanks de lentezon.

Het werd avond. Ze aten van de stoofpot met zoete aardappelen. Er was meer dan genoeg over van het middagmaal. Kodo bleef eten. Een samoerai moet elk moment klaar zijn om te sterven, dacht hij. Ik moet genoeg eten om de reis naar de Dodenwereld te kunnen maken. Na de laatste hap zat hij zo vol dat hij een boer niet kon onderdrukken.

'Je bent verwend*, hoor ik', grinnikte zijn vader. 'Ruim de tafel af, ik wil je iets laten zien.'

Zo snel hij kon, maakte Kodo de tafel leeg en zette de spullen weg. Toen hij klaar was, had zijn vader een kaars aangestoken en een vel papier over de kotatsoe uitgerold. 'Dit is ons strijdplan', zei hij.

'Wacht, wacht.' Even later was Kodo terug met twee hashi**. 'Dit zijn onze zwaarden. Die hebben we ook nodig.' Hij ging op zijn knieën zitten met zijn hielen onder zijn billen en keek aandachtig naar de plattegrond op de tafel.

'Kijk, dit is het veerhuis', wees zijn vader, 'met de tuin. Daar stroomt de rivier. En hier ligt het bos.'

Kodo knikte. Hij dacht aan de zwarte gedaantes die hij in zijn droom in het licht van de vollemaan had zien opstijgen boven de bomen van het cederbos.

'De ninja's zullen uit het woud komen', zei zijn vader. 'De rivierkant biedt ze te weinig beschutting.'

'En wat is dit?' vroeg Kodo. Tussen het veerhuis en de bosrand liep een rode stippellijn.

---

* Na een maaltijd zeggen Japanners vaak: 'Gochiso-sama desh'ta', wat betekent 'Ik ben verwend.'
** Hashi: Japanse eetstokjes.

'Geduld, musko. Eerst deze kruisjes. Die stellen de drie ninja's voor. Zodra ze uit het woud komen, zullen ze zich verspreiden. Dan vallen ze minder op en zijn ze minder kwetsbaar. Ik weet zeker dat ze iets met elkaar zullen afspreken om in contact te blijven. Het meest waarschijnlijke is het geluid van een dier.'

'Een wolf, wellicht', riep Kodo. 'Woehóe!'

'Dat denk ik niet. Ik verwacht eerder een vogelgeluid, misschien een uil.'

'En die stippellijn?'

'Dat is ons geheime wapen. Vanmiddag heb ik vlak boven de grond een draad gespannen, hij is verborgen in het gras. Een van de ninja's zal over de draad struikelen en de anderen waarschuwen met het afgesproken teken. Wij hoeven dus alleen maar te luisteren om te weten dat ze komen.'

'En als ze door de lucht komen,' vroeg Kodo, 'zoals in mijn droom?'

'Vleugels hebben ninja's alleen in dromen', antwoordde zijn vader.

'Maar...' Kodo zweeg. Ichigen zegt dat droom en werkelijkheid één zijn, had hij willen zeggen.

'Wat, musko?'

'Niets', zei Kodo. Hij kon nu niet opeens over Ichigen beginnen. Waarom had hij zijn vader niet eerder over de Ziel van het Penseel verteld?

'Vertrouw me', zei zijn vader. 'De ninja's zullen ons niet verrassen. Vannacht blijven wij allebei wakker. Vier oren horen meer dan twee.'

Kodo knikte. Zijn vader was samoerai. Niemand wist meer van de ninja's dan hij. Met de eetstokjes tikte hij op de kruisjes. 'We wachten ze op', zei hij, 'en als ze hun stiekeme, gemene koppen door het venster steken, hak ik ze er een voor een af. Tjak. Tjak. En de laatste: Tjak!'

'Laat je er ook een voor mij over?' lachte zijn vader.

Het was nacht. De papieren lantaarn aan de wand verspreidde wat licht in de kamer. Kodo stond bij het venster en gluurde voor de zoveelste keer tussen de rieten blinden. 'De nacht is al bijna voorbij. Ze komen toch wel?'

Zijn vader antwoordde niet. Hij lag op zijn rug op zijn slaapmat, met zijn arm onder zijn hoofd. 'Kom bij me liggen, musko.'

Kodo draaide zich om. 'Moet ik niet op de uitkijk staan voor de ninja's?'

'We zullen ze horen. Kom bij me, musko.'

'En dan?'

'Dan zal ik je een verhaal vertellen.'

'Wat voor verhaal?'

'Een verhaal over een samoerai.'

'Ja, dat is leuk!' riep Kodo. Hij sprong weg van het venster en liet zich op zijn buik op de slaapmat vallen. 'Begin.'

'Er was eens', begon zijn vader.

'...een samoerai.'

'Nee, zo begint dit verhaal niet. Er was eens een jongen die ervan droomde een beroemde samoerai te worden. Hij vertelde het aan niemand, omdat hij bang was dat hij uitgelachen zou worden.'

'Waarom zou hij uitgelachen worden?'

'De jongen woonde in een dorp in de bergen waar zijn vader de kost verdiende als houtskoolbrander. Hoe kon de zoon van zo'n nederig iemand ooit een beroemde samoerai worden?'

'En toch durfde hij te dromen', zei Kodo.

'Ja, de jongen bleef dromen en toen hij twaalf jaar was, trok hij de wereld in om zijn droom waar te maken. Hij sloot zich aan bij een bende rovers die zichzelf als ronin* beschouwden. In werkelijkheid was het niet meer dan een troep Wildemannen. Hun hoofdman werd Slang genoemd. Die bijnaam had hij verworven door zijn sluwe wreedheid én door zijn stem die hij zowel hardvochtig en snijdend als vriendelijk en vleiend kon laten klinken. De bende van Slang beroofde eenzame reizigers, overviel afgelegen dorpen en plunderde onbeschermde tempels.'

---

* Ronin: Zwervende samoerai.

'Ik begrijp iets niet', onderbrak Kodo zijn vader. 'Waarom werd de jongen rover als hij samoerai wilde worden?'

'Omdat hij geen kennis had. De jongen dacht dat een samoerai een vechtersbaas was, meer niet. Voor vechten had hij veel talent, want binnen een paar jaar was hij ondanks zijn leeftijd de beste zwaardvechter van de bende. Slang was zo tevreden over hem dat hij hem tot zijn vertrouweling benoemde en hem als enige van de bende een naam gaf: Wolf.'

Kodo voelde een koude rilling over zijn rug gaan bij het horen van die naam. 'Heeft die Wolf gestolen?' vroeg hij.

'Ja.'

'Veel?'

'Ja.'

'Erg veel?'

'Ja.'

'Hij werd dus een dief. Heeft hij ook mensen gedood?'

'Ja.'

'Vertel verder.'

'Op een dag overviel de bende een oude reiziger die met een pakpaard, beladen met een langwerpige houten kist, door hun gebied reisde. De oude man verdedigde zich met zijn staf en vloerde tien rovers voordat hij werd doodgestoken.'

'Door Wolf?'

'Nee, die deed niet mee aan het gevecht. Toen de bende de man en het paard omsingelde, had de oude hem recht in zijn ogen gekeken. Wolf werd getroffen door een kracht die hem deed verstijven. Als versteend had hij toegekeken toen de Wildemannen, zonder zich om de gesneuvelde te bekommeren, de kist van de rug van het paard sleurden en openrukten. Er zat een lang voorwerp in dat in een rode lap was gewikkeld.'

De boog, dacht Kodo. Hij rolde op zijn zij en kroop dichter naar zijn vader toe om geen woord te missen.

'Het was een reusachtige boog. Om de beurt probeerden de Wildemannen ermee te schieten, maar geen van allen lukte het om de boog te spannen. Zelfs Slang niet. Woedend smeet hij het wapen en de pijl tegen de grond. Wolf liep erheen en raapte ze op. In zijn hoofd klonken raadselachtige woorden.

'Je zult deze boog als je ziel beschouwen en, door te leren er meester van te worden, zul je een beter mens worden.'

Wolf aarzelde niet. Hij ging wijdbeens staan, spande de boog en zond de pijl de wereld in.

Het was doodstil. In zijn eentje begon Wolf de oude man te begraven. Slang en de Wildemannen bleven toekijken, zonder iets te zeggen. Pas toen Wolf met de boog op de rug van het paard klom, barstte Slang los. 'Ga, verrader!' gilde hij. 'Ga en neem die vervloekte boog mee. Met hangende pootjes zul je terugkeren. Zonder mij ben jij niets dan een armzalige houtskoolbrander.'

'Waarom heeft Slang Wolf niet gedood?' vroeg Kodo.

'Omdat hij echt dacht dat Wolf snel zou terugkeren. Hij had ongelijk.'

'Gelukkig', zei Kodo. 'En ik vind het ook goed dat Wolf de boog meenam en hem niet heeft begraven.'

'Waarom?'

'Hij heeft de boog eerlijk gekregen. De oude man was een samoerai die wist dat hij zou sterven. Hij zocht een opvolger. In de ogen van Wolf zag hij dat die in zijn hart een samoerai was. Ik denk dat de oude verbeeldingskracht had.' Kodo ging op zijn rug liggen, met zijn hoofd op de gestrekte arm van zijn vader. 'Hoe goed leerde Wolf met de boog schieten?'

'Heel goed.'

'Leerde hij tien keer achter elkaar raak schieten, zonder één keer te missen?'

'Ja.'

'En twintig keer?'

'Ja.'

'En dertig keer?'

'Ja.'

'En veertig keer raak, zonder één keer te missen?'

'Ja.'

'Vijftig keer?'

'Ja.'

Kodo vuurde zijn vragen steeds sneller af, zonder het antwoord af te wachten. 'Zestig keer?'

'Ja.'

'Zeventig?'

'Tachtig?'

'Negentig?'

'Ja.'

'Honderd keer!' juichte Kodo.

'Ja. Honderd keer.'

'Hoe trots was Wolf toen hij voor het eerst honderd keer achter elkaar raak schoot, zonder één keer te missen?'

Zijn vader antwoordde niet meteen. 'Heel trots', zei hij zacht. Hij trok Kodo naar zich toe. 'Maar niet half zo trots als toen hij jou voor het eerst in zijn armen hield.' Zo bleven ze liggen, dicht bij elkaar. Hij heeft mij over de boog verteld, dacht Kodo. Ik zal hem over Ichigen vertellen. Op het dak klonk een zachte plof, gevolgd door de schreeuw van een uil.

Kodo's vader sprong overeind, het Langzwaard in zijn hand. Met zijn andere hand hield hij Kodo tegen. De schreeuw van de uil werd, in de verte, tweemaal beantwoord. Met ingehouden adem bleven ze luisteren; opnieuw twee zachte ploffen op het dak.

'Ik snap hier niets van', zei zijn vader. 'Verberg je in de schuilplaats.'

'Ik zou meevechten.'

'Spreek me niet tegen. Snel, de schuilplaats in.' Voor Kodo nog iets kon zeggen was zijn vader verdwenen, als een kat in de nacht.

Ik moet hem helpen, dacht Kodo.

Hij wilde achter zijn vader aan lopen, maar tot zijn verbazing schoof de fusama uit zichzelf dicht. Voor hem stond Ichigen, met zijn armen gekruist voor zijn borst.

'Niet gehoord wat je vader zei?'

'Uit de weg of ik splijt je.'

'Je zou het nog doen ook.' Ichigen stapte opzij. 'Ga dan, heethoofd en zorg dat je het niet verliest.'

Kodo rukte de fusama open en stoof naar buiten. Even bleef hij staan. Waar was zijn vader? In de tuin. Hij rende erheen en struikelde over iets dat onder een van de kersenbomen in het vochtige gras lag. Overeind krabbelend duwde hij het opzij. Het witte licht van de vollemaan scheen door de takken van de kersenboom op een bundel kleren die de kleur had van geronnen bloed. Kodo herinnerde zich zijn nachtmerrie waarin de bomen van het cederbos zijn naam hadden gefluisterd en de drie gevleugelde ninja's waren opgestegen om hem te ontvoeren.

Misselijk van angst, met zijn hand tegen zijn maag geklemd en het Kortzwaard slepend achter zich aan, vluchtte Kodo het veerhuis in. Waar kon hij zich verstoppen?

'Pssst! Doof snel het licht', klonk Ichigen gejaagd.

'Waarom?'

'Er is er een binnen. Hiernaast. In de kap van het dak. Tussen de spanten. Doof het licht. Snel.'

Het was te laat. In de deuropening stond de ninja, met gespreide vleugels, zijn klauwen klaar om toe te slaan. Die ogen! Kodo had ze eerder gezien, dat wist hij zeker. Hij greep naar zijn hoofd. De vloer en de wanden van de kamer draaiden om hem heen.

Het papier van de fusama begon te gloeien en te trillen. De deur schudde en bonkte met de houten zijkant tegen de ninja. 'Uit de weg of ik splijt je!' schreeuwde Ichigen. De ninja deinsde achteruit. De fusama knalde dicht. 'Vlucht, Kodo. Vlucht!'

Kodo bleef als aan de grond genageld staan en staarde naar het vuurrode papier met daarachter het dreigende silhouet van de gevleugelde ninja. De fusama schoof schokkend en schuddend heen en weer. Hoe lang kon Ichigen deze strijd volhouden? De onderkant van de fusama schoot de kamer in. De ninja had de deur uit haar groef getrapt en Ichigen lag weerloos op de grond.

Kodo schreeuwde. Als een dolgeworden sprinkhaan sprong hij op de ninja af en hakte naar zijn vleugels en zijn hoofd. De ninja wankelde. Zijn vleugels verschrompelden. Hij zakte op zijn knieën en viel voorover. Vol afgrijzen zag Kodo hoe er niets meer van hem overbleef dan een vormeloos hoopje kleren op de grond.

'Waar ben je, musko?' Zijn vader stormde binnen met het Langzwaard in zijn hand. 'Ben je gewond?'

'Ik niet, maar Ichigen wel.'

'Ichigen?'

Kodo wees naar het lege papier van de fusama. 'Ichigen is mijn vriend. Hij heeft mij gered.'

'Je bent in de war.' Zijn vader nam hem in zijn armen. Kodo rook bloed en zweet. 'Het is voorbij, musko. Kom mee naar buiten. De nachtlucht zal je goeddoen.'

'Nee!' Kodo maakte zich los en knielde bij de fusama. 'We moeten Ichigen verzorgen', riep hij. 'Misschien is hij dood. Ichigen, zeg iets. Ichigen!'

Zijn vader keek bezorgd toe. 'Rustig, jongen. Hier, houd jij mijn zwaard beet. Laat mij maar.' Hij tilde de deur op, zette hem terug in zijn groef en schoof hem een paar maal heen en weer. 'Je vriend is ongedeerd. Zie je, hem mankeert helemaal niets.' Hij nam het Langzwaard weer van Kodo over en leidde hem naar buiten.

Ik moet zeker weten dat het goed is met Ichigen, dacht Kodo. Hij rukte zich los en rende het huis in.

'Kodo!' riep zijn vader.

'Ik ben zo terug!'

Ichigen stond rechtop, met zijn handen steunend in zijn rug. Zijn gezicht glom van trots, zijn ogen straalden.

'Ichigen, gelukkig, je leeft. Ben je erg gewond?'

'Geschaafde knieën en een pijnlijke rug, dat is alles.'

'Was het gevecht echt?'

'Ja, Kodo, jullie gevecht was echt. Droom en werkelijkheid zijn hier één. Je vader en jij hebben tegen de ninja's gestreden en jullie grootste angst overwonnen.'

'Zonder jou was het niet gelukt.'

Ichigen boog zijn hoofd. 'Als Ziel van het Penseel heb ik veel gevechten meegemaakt, maar altijd als buitenstaander. Nu was ik er middenin; een verwarrende gewaarwording, heel verwarrend.'

'Kodo!' Zijn vader riep.

'Ik zal je voorstellen aan mijn vader.'

'Niet nu. Ga, je vader heeft je nodig. En ik moet uitrusten. Het gevecht heeft mij veel kracht gekost. Ik ben het niet gewend om voor held te spelen.'

'Kodo!' Zijn vader riep hem opnieuw.

'Ik kom!' Kodo boog diep. 'Dank je wel, vriend Ichigen. Jij hebt mijn leven gered. Dag.' Hij draaide zich om en rende naar zijn vader, die buiten op hem wachtte.

'Je leven', mompelde Ichigen. 'Je moest eens weten, jongen.'

Samen met zijn vader had Kodo de kleren van de ninja's begraven. Ze spraken niet over het gevecht.

Daarna gingen ze naar de rivier. Ze kleedden zich uit en wasten zich in het koude water. Kodo's vader verbrandde hun kleren. Ze trokken schone aan en warmden zich bij het vuur.

Kodo keek naar de overkant en herinnerde zich de kraanvogels die hij op de laatste winterdag had zien dansen in de sneeuw. Het vuur rook niet naar brandend rozenhout, maar het verbaasde Kodo niet dat hij een sjakoehatji hoorde. Ichigen heeft gelijk, dacht hij, droom en werkelijkheid zijn één. Wij hebben de ninja's verslagen.

'Waar denk je aan?'

'Aan ons en aan wat ze aan de overkant zullen zeggen als ze ons hier bij het vuur zien zitten.'

'Daar zitten een vader en zijn zoon, zullen ze zeggen. Die twee horen bij elkaar. Zelfs de dood kan ze niet scheiden.'

Ze zwegen. De maan en de wolken werden weerspiegeld in het voortstromende water van de rivier. Kodo voelde zich droevig en gelukkig tegelijk. Was dit wat Ichigen met verwarrend bedoelde? Nee, dit gevoel ging veel dieper, wist hij, veel dieper.

'Denk je nog steeds aan ons?' vroeg zijn vader.

Kodo knikte. 'En aan een woord.'

'Jij bent net als je moeder, musko. Soms lijk je zo erg op haar. Dan is het alsof ik uit elkaar word getrokken door wat ik voel.'

Verscheurd, dacht Kodo, dát is het woord.

Zonder jou erbij,
waren ze te diep, te groot,
die donkere bossen.

Issa, 1763-1827

---

*   Zomer.

De wind had de kersenbloesems allang verspreid toen de regentijd aanbrak. Vooral 's nachts goot het zonder ophouden. Overdag bleef de Foedji veelal verborgen onder een deken van mist die het landschap bedekte.

Sinds de nacht van het gevecht tegen de ninja's sliep Kodo weer in zijn eigen kamer aan de voorkant van het veerhuis. Dat was vanzelf gegaan, zonder dat hij en zijn vader erover hadden gesproken. Ook Ichigen was niet meer ter sprake gekomen.

Als Kodo 's morgens in de tuin kwam, zat zijn vader op het rotsblok naar de rozenstruik te staren. Vanaf de ochtend dat de eerste knoppen in de struik waren verschenen, leek hij Kodo steeds minder op te merken als die hem begroette. Het was alsof met het zwellen van de rozenknoppen ook de stilte in zijn vader groeide.

Kodo begreep het niet. Wat was er met die struik? Hij vroeg het op een morgen aan Ichigen.

'Op een dag zul je het weten.'

'Ik wil het nu weten.'

Ichigen zweeg.

'Ik haat die struik. Vannacht hak ik al zijn knoppen eraf en gooi ik ze in de rivier.'

Ichigen glimlachte. 'Geduld en vertrouwen, Kodo. Zo is het leven, heeft een Oude Wijze voor ons bedacht.'

'Haha', snauwde Kodo. 'Dat was jij zeker?' Hij draaide zich om en ging stampvoetend naar buiten. 'Ha!'

Hij liep naar de aanlegsteiger bij de rivier. Door de overvloedige regenval was het peil van het water flink gestegen. De ranke veerboot danste op de klotsende golfjes. Van onder het dekzeil kwam de snuit van de vos tevoorschijn.

'Jij verveelt je ook, hè? Zullen we stiekem naar de overkant varen?' Soepel sprong de vos van de boot op de steiger. Hij is groot geworden, dacht Kodo. Het wordt tijd dat ik hem terugbreng naar het cederbos. Ik zal hem missen. Hij keek naar de overkant, die vaag zichtbaar was achter de flarden grijze nevel die boven de rivier hingen. Het water joeg voorbij. 'Geduld en vertrouwen zijn goed voor ouwen', mopperde hij.

Die dag gebeurde er niets bijzonders, maar 's nachts had hij een wonderlijke droom.

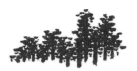

Het was donker en windstil. Kodo stond op een eilandje dat midden in een grote vijver lag, het water was spiegelglad. Op de oever ontwaarde hij de omtrekken van de bomen van het cederbos. Vanuit het woud naderde, over het water, een nietig lichtje. Misschien was het een vuurvliegje. Opeens was het verdwenen, maar even later verscheen voor hem in het wateroppervlak de weerspiegeling van een schitterend bouwwerk. Het bestond uit drie verdiepingen en het was alsof het licht gaf. De muren, de vensters, de slanke pilaren en balustrades, zelfs de sierlijk gebogen daken hadden een gouden glans. En op de top van het bovenste dak stond een gouden kraanvogel, roerloos en statig, met hoog gespreide vleugels. Bedwelmd door de schoonheid en het licht van het torengebouw staarde Kodo in het water. Met een schok besefte hij dat hij niet langer op het eilandje stond, maar van bovenaf neerkeek op de weerspiegeling in het donkere water. Hij keek door de ogen van de kraanvogel op het dak en zag een gouden schip dat met gebold zeil wegvoer in de nacht...

De volgende ochtend was Kodo vroeg wakker. Vluchtig groette hij Ichigen, boog in het voorbijgaan naar zijn vader bij de rozenstruik en liep snel door naar de aanlegsteiger. Het vosje lag onder het dekzeil in de boot. 'Vandaag zullen wij ons niet vervelen', lachte Kodo. 'Droom en werkelijkheid zijn één, weet je. Verbeeldingskracht maakt het onmogelijke mogelijk. In het cederbos is een vijver met een gouden toren die je in een schip kunt veranderen. Ga je mee varen?'

Het was koud en nat in het woud. De grote, donkere plassen weerspiegelden de schaduwen van de eeuwenoude ceders die uit de mist opdoemden. Het was niet moeilijk om je voor te stellen dat hier boze geesten rondzwierven en dat je in een nachtmerrie terechtkwam.

Kodo trok zijn regenmantel van stro vaster om zijn schouders. Zou hij de weg naar huis kunnen terugvinden? Ik had het Kortzwaard moeten meenemen, dacht hij. Het is beter als we teruggaan. Maar hij zei niets en bleef de vos volgen, die hem steeds dieper het woud in leidde.

Opeens bleef het dier staan, het spitste zijn oren en keek om.

'Hoor je iets?' fluisterde Kodo.

De vos snoof.

'Je ruikt iets?'

Een hoog, gillend gelach klonk door het woud. Kodo keek gejaagd om zich heen. 'We moeten ons verstoppen. Daar, achter die grote boom.' Het angstaanjagende gelach klonk opnieuw.

Kodo rende naar de boom en ging op zijn hurken achter de dikke stam zitten. Hij opende zijn strooien mantel. Ze kropen tegen elkaar aan. Kodo voelde de koude, natte vacht door zijn kleren. Zo wachtten ze op wat komen ging.

Ze waren er onverwacht snel; twee wezens met witte maskers, gehuld in grauwe vodden en op blote voeten. De een voerde de ander mee aan een dik, rafelig touw van stro. Het zwarte haar op hun hoofd stak woest alle kanten uit en de uitgegroeide kromme nagels aan hun vingers en hun tenen zagen eruit als klauwen.

'Mensenvlees', gilde de een. 'Ruik, gore hond. Ruik!' De ander gehoorzaamde meteen. Hij kroop langzaam, snuivend, op handen en voeten naar de boom waarachter Kodo en de vos zich hadden verstopt. Het akelige gelach van zijn meester gierde door het stille woud.

Vanuit hun schuilplaats keken Kodo en de vos naar het wrede spel. De vos gromde zacht. 'Ssst', fluisterde Kodo. Hij drukte het dier tegen zich aan en klemde zijn hand om zijn snuit. 'De Wildemannen mogen ons niet horen.'

De hond stond op. Met twee handen greep hij het touw om zijn hals vast en rukte eraan. Kodo zag dat het ook om de nek van de ander zat en dat hun maskers dezelfde tekening hadden. Een verwrongen, zwarte mond, scherpe lijnen, als krassen, in het gezicht en dikke, dreigende wenkbrauwen boven twee uitpuilende ogen.

'Ruik, stinkpad, ruik!' gilde de Wildeman die voor hond had moeten spelen. De ander gehoorzaamde en schuifelde gehurkt tot vlak voor de boom. Het kwijl droop uit zijn bek. Kodo wendde zijn hoofd af.

De vos rukte zich los en sprong uit de schuilplaats tevoorschijn. Kodo was totaal overdonderd. Ook de gruwelijke tweeling was verrast, maar dat duurde kort. In dezelfde beweging trokken ze uit hun lompen twee kleine, gekartelde zwaarden tevoorschijn en haalden uit. De vos ontweek de ene slag, maar de tweede raakte hem in zijn achterlijf. Met een gekef van pijn vluchtte hij de mist in. Het laatste dat Kodo van hem zag, was zijn staart die glansde van het bloed. De gruwelijke tweeling rende krijsend en zwaaiend met hun zwaardjes achter hem aan. Langzaam keerde de stilte in het grijze woud terug.

Ik had hem moeten tegenhouden, dacht Kodo. Waarom heb ik hem niet geholpen? Hij stond op, zijn stromantel liet hij achter bij de boom. Na een paar stappen bleef hij staan. De Wildemannen zullen hem niet te pakken krijgen, maakte hij zichzelf wijs. De vos is slimmer dan zij. Hij keek naar de grond en zag het bloedspoor. Vosje mag niet doodgaan, dacht hij. Dat kan niet. Het mag niet. Ik moet hem redden.

Kodo begon te rennen. Hij struikelde over een boomwortel en viel languit met zijn gezicht in een modderplas. Hij krabbelde overeind en strompelde verder. Hij voelde de natte kou niet. Hij dacht er niet aan wat hij moest doen als hij de vos of de Wildemannen vond. Hij rende om te redden wat hij liefhad. Zijn hart bonsde in zijn borst. Hij proefde de smaak van zijn eigen bloed in zijn mond. Ik had het spoor moeten volgen. Waarom heb ik het spoor niet gevolgd? Hij sloeg zichzelf met zijn vuist op zijn voorhoofd en zocht wanhopig en in het wilde weg naar het bloedspoor van het gewonde dier. Kodo riep en schreeuwde tot hij niet meer kon. Na een tijdje bleef hij staan en zweeg. In zijn hoofd klonken de woorden die Ichigen tegen hem had gesproken. *Geduld en vertrouwen.* Ichigen heeft makkelijk praten, dacht hij. Die kan op de fusama in het veerhuis veilig de sensei-wijsneus uithangen.

Kodo keek om zich heen en besefte met een schok dat hij op de open plek stond waar hij het vosje aan het eind van de winter had gevonden. Voor hem stond de reusachtige ceder waarvoor het diertje had gelegen. Hier had hij het voor het eerst in zijn armen genomen. Dit kon geen toeval zijn. Het was een teken dat hij hier op de vos moest wachten.

Hij ging met zijn rug tegen de stam van de boom staan, liet zich op de grond zakken en sloeg zijn armen om zijn knieën. 'Ik blijf hier zitten tot hij terugkomt', klappertandde hij. 'Ik moet geduld en vertrouwen hebben.'

Die zin bleef hij herhalen tot de mist opging in de avondschemering. Een paar maal had hij gedacht dat hij iets hoorde. Steeds was hij opgesprongen, hopend dat de vos aan de Wildemannen was ontsnapt. Het was alsof het donker en de stilte van het reusachtige woud door zijn huid zijn lijf binnendrongen en zijn hart de moed ontnamen. Ik ben Vosje kwijt, dacht hij. Ik zie hem nooit meer terug. Als dit een nachtmerrie is, laat hem dan alsjeblieft, alsjeblieft stoppen.

Weer leek hij iets te horen. Kodo bleef zitten, maar hield zijn hoofd schuin om beter te kunnen luisteren. Uit de mist doemde een donkere gestalte op. Het was zijn vader, op zijn rug droeg hij het Langzwaard. Hij kwam snel op Kodo af en knielde bij hem neer.

'Gelukkig, je zit hier. Wat maakte ik mij ongerust, musko. Wat is er gebeurd?

'Het vosje... We zijn elkaar kwijtgeraakt in de mist. Ik wacht hier op hem.'

'Is dat alles?' lachte zijn vader. 'Je zult zien: morgenochtend huppelt hij het woud uit. Die vermaakt zich hier vannacht opperbest.

Het is een roofdier. Die verdwalen niet. Ik had me meer zorgen gemaakt als ik jou niet had gevonden.'

Kodo durfde niet te vertellen wat er was gebeurd. Hij schaamde zich omdat hij het vosje eerst in de steek had gelaten en daarna niet had kunnen vinden. Ook over zijn droom zweeg hij. Ik heb gefaald, dacht hij. Dat is onvergeeflijk voor een samoerai.

Zijn vader hielp hem overeind. Hij drukte hem tegen zich aan en veegde de modder van zijn gezicht. 'Ik heb je de laatste tijd verwaarloosd, musko. Je bent ijskoud, lieve jongen. Als we thuis zijn, steek ik de haard aan. Alles komt goed, geloof me. Geduld en vertrouwen, daar gaat het om.' Hij liet Kodo los, draaide zich om, en liep voor hem uit.

Geduld en vertrouwen, dacht Kodo. Jij weet niet eens wat er gebeurd is. Wat zijn grote mensen en oude zielen ongelooflijk stom.

Kodo en zijn vader zaten in de kamer met de irori. De warmte van het vuur en de maaltijd hadden de kou uit Kodo's lichaam verdreven. De lichtzoete geur van brandend rozenhout hing in de kamer. 'Neem nog wat sake, musko', zei zijn vader. 'Je zult ervan opknappen.'

Kodo schudde zijn hoofd. 'Ik moet aan hem blijven denken. Ik zit hier lekker warm en veilig, terwijl hij...'

'Terwijl hij...?' herhaalde zijn vader.

Kodo haalde zijn schouders op. 'Het woud is te groot en te diep.'

Zijn vader glimlachte. Hij stond op en legde een nieuwe tak op het vuur.

'Ik wil vannacht bij jou slapen', zei Kodo.

Zijn vader ging weer tegenover hem zitten. Hij slurpte van zijn sake. 'Natuurlijk, musko.' Hij glimlachte opnieuw.

Waarom doet hij zo gelukkig? dacht Kodo. Hij ziet toch dat ik barst van verdriet?

Aan de overkant van de rivier stond een jonge vrouw. Het meest opvallende aan haar kleding was haar roodgelakte reishoed. Haar kleren waren wit en in haar rechterhand had ze een stok. Kodo zette beide handen aan zijn mond en riep.

De vrouw leek hem te horen. Ze hield haar vrije hand boven haar ogen en tuurde naar de overkant. De zon schitterde op het onstuimig voorbijstromende water.

Kodo riep opnieuw, maar zijn stem ging verloren in het gebulder van de rivier. Hij schreeuwde en gilde en zwaaide met zijn armen. De vrouw draaide zich om en liep weg.

Een witte vlinder fladderde om Kodo's hoofd. 'Donder op, jij!'
schreeuwde hij, terwijl hij tevergeefs naar de vlinder greep...

Badend in het zweet werd Kodo wakker. Waarom droom ik van een witte vlinder, dacht hij, als de vos in het woud voor zijn leven vecht?

Hij ging rechtop zitten. Zijn vader lag naast hem en ademde rustig. Wat kon het hem schelen of het vosje doodging? Het enige dat hij belangrijk vond, was zijn rozenstruik. Kodo trapte zijn dekbed van zich af en kroop naar de fusama. 'Ichigen', fluisterde hij. 'Ik moet je spreken.'

De Ziel van het Penseel verscheen snel en stil. 'Wat is er?' vroeg hij bezorgd.

'Er is iets verschrikkelijks gebeurd.' In een paar woorden vertelde Kodo over zijn droom en wat er in het cederbos was voorgevallen.

'Je bent het woud ingelokt door een droombeeld van Kikkaku-ji*', zei Ichigen.

'Kikkaku-ji?' herhaalde Kodo.

'De Gouden Tempel, het zinnebeeld van de eenheid tussen Hemel en Aarde. Hij wist dat jij met jouw verbeeldingskracht erdoor betoverd zou worden.'

'Wie is hij?'

'Degene die ook de ninja's heeft gestuurd. Slang, de hoofdman van de Wildemannen. Ik vrees het ergste voor de vos. In het beste geval hebben de Wildemannen hem niet te pakken gekregen, maar is hij zo gewond dat hij niet op eigen kracht kan terugkeren. Er is een kleine kans dat hij nog leeft en zich ergens heeft verstopt.'

'Jij moet met mijn vader praten. Je moet tegen hem zeggen dat we naar het woud moeten gaan om het vosje te redden.'

'Dat zal helaas niet gaan.'

'Wat zal niet gaan?'

---

* Kikkaku-ji: Letterlijk het Gouden Paviljoen, aan de Spiegelvijver in Kyoto. Op het dak van de met bladgoud bedekte tempel staat een gouden kraanvogel, als symbool van de wedergeboorte.

'Praten met je vader.'

'Waarom niet?'

'Omdat ik voor hem niet besta, Kodo. Jij ziet mij dankzij je verbeeldingskracht. Geloven is zien, vertelde ik je toch. Jouw vader schenkt al zijn verbeeldingskracht aan de rozenstruik. Hij zal mij niet zien staan.'

Kodo was wanhopig. 'Als droom en werkelijkheid één zijn zoals jij zegt, hoe kan het dan dat mijn vader alleen maar aan die stomme struik denkt en ik droom van een witte vlinder? Ichigen, je moet het mij zeggen: Ben ik te laf om van het vosje te dromen?'

'Dat heeft geen snars met lafheid te maken. Ik weet dat ik mijn mond voorbijpraat, maar die witte vlinder en de rozenstruik hebben met je moeder te maken. Om de een of andere reden is zij voor jou een witte vlinder. Dat is heel belangrijk. En je vader...' Ichigen schudde zijn hoofd. 'Nee, daar mag ik niets over zeggen. Dat kan hij je alleen zelf vertellen.'

'O, jij speelt weer voor buitenstaander', snauwde Kodo. 'Ik moet geduld en vertrouwen hebben en ondertussen crepeert het vosje in het woud. Lafaard.' Hij draaide zich om en kroop weer naar zijn slaapmat.

'Jongen, ik kan toch niet... Luister naar me.'

Kodo trok het dekbed over zijn hoofd.

'Kodo, kijk!'

Slaperig kwam Kodo overeind. Voor hem stond zijn vader, slechts gekleed in zijn lendendoek. In zijn ene hand hield hij de lange steel van een witte roos en in de andere het Kortzwaard.

'Het is zover, musko', riep hij opgewonden. 'De rozen zijn uitgekomen. Je zult je ogen niet geloven. Het is echt waar.' Zijn vader draaide zich om en verliet gehaast de kamer.

Kodo liet zich terugvallen op zijn slaapmat. Hij wreef met zijn handen in zijn ogen en dacht aan het vosje. Hij herinnerde zich het gesprek met Ichigen en zuchtte diep. Hij stond op en ging naar buiten.

Het leek in één nacht zomer te zijn geworden. De hemel was hoog en blauw en zonder wolken. Zijn vader stond bij de glimmende, donkere rozenstruik die was gevuld met tientallen grote witte bloemen.

Kodo liep erheen.

'Hoe vind je ze, musko?'

'Mooi.'

'Elke dag plukken we er een. Wil jij deze even vasthouden?'

Ze stonden tegenover elkaar in hun witte lendendoeken, zijn vader met het Kortzwaard en Kodo met de witte roos. Ik moet het vosje zoeken, dacht hij.

'Ik zal de steel iets inkorten', hoorde hij zijn vader zeggen. Hij hield de roos omhoog. Voor hij wist wat er gebeurde, had zijn vader met een kreet door de steel heen gehakt.

'En nu?'

'Eerst zetten we de roos in een vaas in de tokonoma* en daarna kleden we ons aan.'

'En daarna?' Kodo hoopte dat zijn vader iets over het vosje zou zeggen. 'Wat gaan we daarna doen?'

'Je moeder had mijn hele hart, musko,' zei zijn vader. Zijn stem trilde. 'Mijn hele hart.'

Ze is dood, dacht Kodo.

Ze stonden voor de kleine diepe nis. Zijn vader had de schikking van de witte roos in de zwarte vaas voor de zoveelste maal veranderd. 'Wat denk je, musko', vroeg hij. 'Leeft ze?'

Kodo zag geen verschil met de vorige keren. 'Ja', antwoordde hij aarzelend.

'Waar het om gaat, is dat ze net zo is als toen ze werd geplukt. Dat je denkt: Kijk eens! Ze is niet dood. Ze leeft verder.'

Kodo knikte afwezig. Hij keek, niet naar de roos, maar naar de bewegingloze schaduwen op de wanden van de nis. Het zonlicht zou hier nooit komen. 'Ik ga naar buiten', zei hij.

---

* Tokonoma: Nis waar men een tekstrol ophangt en bloemen neerzet.

Kodo was bij de rivier. Zijn vader kwam naar hem toe. 'Ik wil je iets geven', zei hij.

'Mag ik eerst iets vragen?'

'Ik luister.'

'Ik wil het vosje gaan zoeken.'

'Hij kan zichzelf redden', antwoordde zijn vader beslist.

'Misschien is hij aangevallen en gewond geraakt.'

Zijn vader schudde zijn hoofd. 'Als er iets met hem gebeurd is, heeft het zo moeten zijn. Je kunt het leven niet overdoen.'

Kodo wist dat verder vragen geen zin had. Zijn vader zou kwaad worden en hem verbieden het vosje te zoeken. Daarom boog hij zijn hoofd en zweeg.

Vannacht ga ik het woud in om hem te zoeken, dacht hij. Toen hij opkeek, zag hij dat zijn vader een goudgelakte doos in zijn hand hield. Op het deksel was een kraanvogel afgebeeld.

'Deze inktdoos is van je moeder geweest, musko. Ik wil hem graag aan jou geven. Er hoort ook papier bij.'

Kodo pakte de doos aan en maakte hem open. 'Dit zijn de inktsteen en het waterpotje', zei zijn vader, 'en dat daar is de inkt en het penseel.' Het viel Kodo op hoe groot en ruw de handen van zijn vader waren. Hij heeft nooit haar naam genoemd, dacht hij, zoveel verdriet heeft hij.

'Vind je hem mooi, musko?'

Kodo knikte. 'Mag ik hem gebruiken?'

Zijn vader keek hem verbaasd aan. 'Natuurlijk, maar... wanneer heb jij dan leren schrijven? Ik bedoel...'

Kodo dacht aan de ongelooflijke samoeraisprong die hij had gemaakt tijdens de lessen zwaardvechten. Ichigen had hem verteld dat hij niet moest proberen het te begrijpen, maar zich eraan moest overgeven. Verbeeldingskracht maakte het onmogelijke mogelijk. Na het gevecht tegen de ninja's had Kodo de Ziel van het Penseel onvoorwaardelijk geloofd. 'Ik weet het niet', zei hij. 'Ik houd gewoon veel van woorden, denk ik.'

Ze zwegen en keken naar de rivier.

'Hoe oud was ik...' begon Kodo.

'Twee jaar', antwoordde zijn vader snel. Zijn hand streek over zijn borst en zakte af naar zijn buik. 'Ik kan er niet over praten, musko. Het spijt me.'

Het brede water stroomde voorbij. Verder was er niets; geen witte vlinder die fladderde, geen verdwaalde klank van een sjakoehatji en geen vleugje geur van brandend rozenhout. Ondanks de schittering van de zon op het water was de overkant onbereikbaar ver weg.

Kodo zat tussen de stroken papier die hij over de vloer van de slaapkamer had verspreid. De gouden inktdoos stond geopend voor hem, met ernaast een brandende kaars. Hij nam het penseel uit de doos en bestudeerde de haren.

'Wat doe je?' Ichigen was ongevraagd op het papier van de fusama verschenen.

'Wat denk je?'

'Je wilt schrijven?'

'Waarom zou ik?'

'Dat weet jij zelf het beste.'

'Wat moet ik schrijven?'

Ichigen antwoordde niet.

'Jij bent toch de Ziel van het Penseel, met een verbeeldingskracht zo groot als de Foedji zelf? Vertel jij dan maar wat ik moet schrijven.'

'Zo werkt het niet.'

'O nee? Hoe werkt het dan wel? Geduld en vertrouwen en dat soort kletspraat?'

'Als jij werkelijk wilt schrijven, is er geen plaats voor zelfbeklag', zei Ichigen. Zijn stem klonk onverwacht fel en scherp. 'Een schrijver schildert met woorden. Luister naar de stem van je hart en geloof in jezelf. Geloven ís zien. Daar gaat het om.'

Kodo legde het penseel neer. Hij staarde naar de halo* van de kaarsvlam, die paars kleurde.

'Aan wie denk je, jongen?' vroeg Ichigen.

Kodo antwoordde niet. Hij nam het penseel weer op en doopte het in de inkt. *Vosje*, schilderde hij.

---

* Halo: kring van licht om de vlam van een kaars. In het Oude Japan werden de kleuren van een halo als voortekens over leven en dood beschouwd.

Het woord kwam recht uit zijn hart. De paarse schaduw om de vlam verdween.

'Wat met inkt geschreven is, blijft voor eeuwig bestaan', zei Ichigen plechtig. 'Schrijvers en dichters overbruggen de kloof tussen leven en dood.'

'Ssst!' deed Kodo. 'Zie je niet dat ik schrijf?' Hij dacht aan zijn vader en zijn moeder, die door de dood van elkaar waren gescheiden. *Vlinder*, schilderde hij. *Witte Vlinder.*

白蝶

Tevreden legde hij zijn penseel neer. 'Ik ben uitgeschreven', zei hij. De halo om de vlam van de kaars was helder en veelkleurig als de mooiste regenboog.

De dag leek eindeloos lang te duren. Kodo had de schrijfdoos opgeborgen en de twee tekstrollen in zijn eigen kamer te drogen gelegd. Daarna was hij naar buiten gegaan en had op het rotsblok in de tuin toegekeken hoe zorgvuldig zijn vader de rozenstruik behandelde.

'Heb je al iets geschreven?' vroeg zijn vader onverwacht.

Kodo haalde zijn schouders op. Hij wilde dat het een verrassing was als zijn vader de tekstrollen in de nis zag hangen. Bovendien twijfelde hij achteraf of het mooi en goed genoeg was. Gelukkig vroeg zijn vader niet door.

Tijdens de avondmaaltijd dronk zijn vader overvloedig van de sake. Dat was goed, dacht Kodo. De sake zou hem sneller en vaster doen slapen. Direct na het eten ging hij naar bed. Het was voor de uitvoering van zijn plannetje handiger geweest als hij in zijn eigen kamer zou slapen. Maar dat was te opvallend. Zijn vader mocht geen argwaan krijgen.

Kodo kroop onder zijn dekbed en hield zich slapende toen zijn vader in het donker de kamer binnenstommelde en met zijn kleren aan naast hem in slaap viel. Kodo wachtte even om er zeker van te zijn dat hij echt sliep. Zijn vaders onregelmatige gesnurk was overtuigend genoeg.

Hij stond op en sloop op zijn tenen naar de fusama. Ichigen versperde hem de weg.

'Wat ga je doen?'

'Wat denk je?'

'Doe het niet.'

'Waarom niet?'

'Het is te gevaarlijk. De paarse halo was een ongunstig voorteken.' Kodo's vader stopte met snurken. 'Ssst!' siste Kodo. 'Straks maken wij hem wakker.'

Ze zwegen tot het gesnurk opnieuw begon. 'Je móét hem om toestemming vragen', fluisterde Ichigen.

'Waarom? Ik ken het antwoord al. Daar heb ik geen verbeeldingskracht voor nodig.' Kodo schoof de fusama open en liep naar zijn eigen slaapkamer. Daar pakte hij de twee tekstrollen, waarop hij de karakters had geschilderd. Hij nam ze mee naar de woonkamer en hing ze op, aan weerskanten van de vaas met de witte roos. 'Vosje' en 'Witte Vlinder', mompelde hij. Misschien was dat witte er toch te veel aan. En was vos niet beter geweest?

'Het is prachtig,' fluisterde Ichigen, 'omdat het oprecht en waar is. Vergeet het Kortzwaard niet, dappere jongen.'

Kodo draaide zich om en liep terug naar zijn kamer. Hij nam het Kortzwaard, hing het wapen over zijn rug en stak de kaars aan in de lantaarn die hij had klaargezet. Met het lichtje in zijn hand verliet hij het veerhuis en trad de duisternis tegemoet.

Kodo overbrugde de afstand naar het cederbos rennend. Bij de eerste bomenrij bleef hij hijgend staan en keek omhoog. Het was een heldere nacht. Nu hij daar zo stond onder de sterrenhemel, leek het een waanzinnig plan om het vosje in het reusachtige woud te gaan zoeken. Toch moest hij het doen.

Eerst naar de open plek. Daar zou de vos zeker heen gegaan zijn als hij ertoe in staat was. Het licht van de lantaarn scheen op de grond, die nog drassig was van de zware regenval van de voorbije weken. Kodo's voeten vonden als vanzelf de weg. Hij bleef staan. Voor hem straalde een gelig licht tussen de donkere stammen. Hij doofde zijn lantaarn en liep voorzichtig verder. Het licht werd helderder en hij hoorde stemmen, alsof er een grote groep mensen was samengekomen.

Ze waren op de open plek. Kodo zag een zee van licht, verspreid door twaalf fakkels die in een kring stonden opgesteld. Snel verstopte hij zich achter een boom. Op de open plek liepen tientallen Wildemannen rond. Dit was de bende van Slang. Waar was hun hoofdman?

Opeens ontstond er een hevige opwinding. Als op bevel verlieten de Wildemannen de cirkel en stelden zich op tussen de fakkels.

Vanuit het donker van het woud naderden een paar dansende lichtjes. Even later verschenen er vier Wildemannen met een draagstoel. De gordijnen waren aan beide kanten gesloten. Aan de voor- en achterkant van de stoel hingen kleine lantaarns. De Wildemannen zetten de stoel op de grond, zodat Kodo de twee achterste dragers kon zien. De ene Wildeman droeg een vossenkop op zijn hoofd en toen de ander zich omdraaide, zag Kodo op zijn achterhoofd een vossenstaart bungelen. Zijn hart kromp ineen en verstijfde.

Kodo raakte buiten zichzelf van woede. Hij rukte zijn zwaard uit de schede, slaakte een kreet en stoof op de Wildemannen af. Hij bereikte ze niet. Een van de voorste dragers stak zijn been uit, waardoor Kodo struikelde en voorover op de grond smakte. Zijn zwaard vloog door de lucht. Hij werd overeind getrokken en meegesleurd naar de draagkoets.

'Stommeling', siste een stem vanachter het gesloten gordijn. 'Jij hebt je het woud in laten lokken.'

Een geharnaste arm schoot, snel als een slangenkop, tussen de twee gordijnhelften tevoorschijn. 'We hebben hem, Wildemannen', gilde de stem. 'De zoon van Wolf is in onze macht.'

De Wildemannen trokken hun kleine gekartelde zwaarden en hieven ze krijsend omhoog.

Dit is de bende van Slang, dacht Kodo.

'Stilte!' gilde Slang vanuit zijn draagstoel. De Wildemannen zwegen ogenblikkelijk. 'Dit is de nacht van onze wraak. Wolf zal komen om zijn lieve zoontje te redden. Wat hij niet weet, is dat hij dan moet strijden tegen de Nachtruiter. Maak plaats, Wildemannen. Maak plaats!'

De Wildemannen stoven uiteen en stelden zich opnieuw op in de vuurkring. Twee van hen hadden Kodo meegetrokken en hielden hem stevig vast. Een ander had het Kortzwaard opgeraapt en met de punt in de grond gestoken. Kodo berekende dat hij er met twee of drie sprongen bij kon zijn, maar wat dan? De overmacht was veel te groot.

Boven hem in de bomen begon de wind als zacht gefluister, hij wakkerde aan tot hevige vlagen en gierde ten slotte door het woud. De schaduwen van de vlammen dansten groot en wild in de kring. Droom en werkelijkheid, dacht Kodo. Vanuit de storm daalde een zwart paard neer op de open plek. De ruiter leek een te zijn met zijn steigerende rijdier. Hij droeg een lange, zwarte mantel en op zijn hoofd een zwarte helm met aan weerskanten twee zilverkleurige sikkels. Met een handgebaar kalmeerde de ruiter de storm en het paard. Hij steeg af en zond het dier weg. De Wildemannen in de kring weken uiteen en lieten het paard passeren. In de stilte klonken de doffe hoefslagen als het slaan van een trom. Kodo staarde naar de geheimzinnige ruiter. Wie was hij? Waar kwam hij vandaan?

'Welkom, Nachtruiter', sprak de stem van Slang onderdanig. 'Hebt u een goede vlucht gehad?'

'Waar is het goud?'

Twee Wildemannen sleepten een zware kist, omwikkeld met rammelende kettingen, tot voor de ruiter. De een opende gehaast de sloten, de ander rukte het deksel open. Kodo ging op zijn tenen staan. Hij zag dat de kist tot aan de rand gevuld was met goudstukken.

De Nachtruiter bewoog zijn lange, zwarte mantel met een breed armgebaar boven de kist. Een goudkleurige damp steeg op en omhulde hem. Toen die optrok, zag Kodo dat zijn zwarte mantel bedekt was met ontelbare kleine sterren. De kist was leeg.

De Nachtruiter stelde zich op in het midden van de kring. Aan de gordel onder zijn mantel droeg hij een stang, waaromheen een ketting was gewikkeld met aan het eind een bal zo groot als een vuist. De ruiter maakte de stang los en stak hem omhoog. De ketting met de bal wikkelde zich af. Met een klik flitste een sikkel uit de stang tevoorschijn. Een kreet van ongeloof klonk uit de monden van de terugdeinzende Wildemannen. Kom niet, papa, dacht Kodo. Vlucht, ver weg. Alsjeblieft!

De Nachtruiter grijnsde en keek uitdagend de kring rond. Hij nam de sikkel in zijn linkerhand en speelde met de bal in zijn rechterhand. 'Waar is mijn tegenstander?' riep hij. 'Waar is Wolf?'

'Hier ben ik!'

Recht tegenover Kodo opende zich de kring van Wildemannen. Daar stond zijn vader. De punt van zijn Langzwaard wees naar de grond.

*

Kodo's vader zette enkele stappen binnen de kring. 'Hier ben ik, Slang', riep hij. 'Laat eerst mijn zoon gaan.'

Vanachter het gordijn van de draagstoel klonk een akelige gierende lach, die door de Wildemannen werd overgenomen. Ze sprongen en dansten als gekken. Kodo probeerde zich tevergeefs los te rukken. Hij wilde bij zijn vader zijn, naast hem staan.

De Nachtruiter hief zijn arm op. Het gelach en gekrijs van de Wildemannen verstomde. 'Met jullie vete heb ik niets te maken', sprak hij. 'Ik ben hier voor het goud en voor het gevecht. Wolf en ik zullen strijden tot voorbij het vuur. Wat rest is voor de winnaar.'

Voorbij het vuur? dacht Kodo. Wat bedoelt hij daarmee? Hij kreeg niet eens de tijd om er verder over na te denken, want de Nachtruiter stapte met twee snelle, katachtige sprongen op zijn vader toe en wierp de ketting met de bal om het Langzwaard, vlak boven het gevest. 'Wat doe je nu, Wolf?' riep hij. De Wildemannen krijsten van opwinding.

Kodo keek wanhopig om zich heen. Hoe kon hij zijn vader helpen? Het was duidelijk dat hij zijn Langzwaard niet kon lostrekken. De Nachtruiter trok de ketting met korte rukjes naar zich toe en kwam langzaam maar zeker dichterbij om te kunnen toeslaan met de vlijmscherpe sikkel van de stang. De Wildemannen juichten, alsof het gevecht al was beslist.

De Nachtruiter rukte de ketting met één lange woeste schreeuw naar zich toe. De greep van de klauw om Kodo's schouder verslapte. Hij aarzelde geen moment en rukte zich los. Met drie sprongen was hij bij het Kortzwaard en trok het uit de grond. 'Papa!' gilde hij. 'Hier is het Kortzwaard.'

Zijn vader draaide zijn hoofd naar hem toe en in een flits zag Kodo angst in zijn ogen. Het Kortzwaard vloog door de lucht en werd door

---

* Vuur.

zijn vader opgevangen bij het gevest. De klauw van de Wildeman greep Kodo vast en sleurde hem zo ruw mee dat hij achteroverviel.

Precies op het moment dat Kodo zijn vader had toegeschreeuwd, was de Nachtruiter met een kreet naar voren gesprongen en had met de sikkel uitgehaald naar het hoofd van Kodo's vader. Zijn aanval mislukte doordat Kodo's vader zich net op dat moment afwendde.

De Nachtruiter trok de sikkel terug. Kodo's vader liet het Langzwaard los. De zware bal zoefde door de lucht, daarna de sikkel en opnieuw de bal. Kodo's vader slaagde er steeds in zijn tegenstander te ontwijken, maar hij kreeg geen kans om zelf aan te vallen. De Wildemannen juichten bij iedere slag die de Nachtruiter met zijn verschrikkelijke wapen uitdeelde.

Ook voor Kodo was het duidelijk dat deze ongelijke strijd niet lang zou duren. Als dit het einde was, moest hij wraak nemen. De twee Wildemannen die het vosje hadden afgeslacht stonden naast de draagstoel. Hij mocht ze niet uit het oog verliezen.

De reacties van zijn vader werden trager. 'Maak hem af, Nachtruiter!' snerpte het vanuit de koets. De kreet werd overgenomen door de Wildemannen.

'Gebruik het Kortzwaard, papa', gilde Kodo. 'Het Kortzwaard.' De klauw van de Wildeman klemde zich vaster om zijn schouder.

Zijn vader sprong achteruit, zodat er een afstand van meer dan een meter was tussen hem en zijn tegenstander. Hij herpakte het Kortzwaard in zijn andere hand en stak het pijlsnel naar voren. De Nachtruiter kronkelde met zijn lichaam om de onverwachte aanval van het zwaard te ontwijken. Daardoor wikkelde de ketting met de bal zich om zijn borst. Kreten van ontzetting schoten door de kring van Wildemannen.

Vanuit zijn ooghoek zag Kodo dat er iets bij de draagstoel gebeurde. De Nachtruiter, in zijn eigen ketting gevangen, strekte zijn hand in een poging het gevest van het Kortzwaard te grijpen.

Een zwarte schaduw steeg op boven de kring van vuur. Kodo keek toe hoe zijn vader het Kortzwaard boven zijn hoofd hief en in de borst van de Nachtruiter dreef. De vlammen van de fakkels schoten hoog op, tot boven de bomen. Het cederbos vloog in brand. De Wildemannen stoven gillend alle kanten uit. Sommigen brandden, de draagkoets stond in lichterlaaie. Kodo stond als aan de grond genageld. Zijn vader en de Nachtruiter waren nergens te bespeuren. Hij voelde de verzengende hitte van het loeiende vuur. Er was geen uitweg, wist hij. De vlammen waren overal. Nog even en het brullende vuurmonster zou hem verzwelgen en niets van hem overlaten. Dit is het einde, dacht hij. Voor hem ontsnapte een vlam uit de woedende vuurzee. Kodo zag duidelijk hoe hij bleef zweven en de vorm aannam van een reusachtige halo, helderder en veelkleuriger dan de allermooiste regenboog. Ichigen heeft toch gelijk, dacht hij. Verbeeldingskracht maakt het onmogelijke mogelijk. Zijn angst verdween. Het licht kwam recht op hem af en nam hem in zich op.

Kodo had het koud. Hij zag geen hand voor ogen, het was doodstil. 'Papa!' schreeuwde hij. 'Pap, waar ben je?'

Het donker loste op in een rokerige mist. Slechts een paar meter van hem vandaan stond zijn vader, bewegingloos en met zijn hoofd gebogen. Het Kortzwaard wees naar de grond.

Kodo probeerde hem te bereiken, maar elke wankele stap die hij zette, kostte hem grote inspanning. Het was alsof hij opnieuw moest leren lopen. Eindelijk bereikte hij zijn vader. Hun handen grepen elkaar beet.

'Papa!'

'Musko!'

Ze lieten elkaar los en gingen op hun knieën zitten. Kodo keek om zich heen. De machtige cederbomen om de open plek waren geveld of opengespleten door het verzengende vuur, een enkele boom smeulde nog na. Dit had de Nachtruiter bedoeld met strijden tot voorbij het vuur. Van hem of van de Wildemannen was geen spoor te bekennen.

'Zijn we... zijn we dood?' fluisterde Kodo.

Zijn vader pakte opnieuw zijn handen beet. 'Luister naar me, musko. We waren al dood.'

'Ik begrijp het niet. Wanneer zijn we dan doodgegaan?'

'In de nacht van de aanval van de ninja's vertelde ik je over Wolf, de jongen die de bende van de Wildemannen verliet. Toen hij vertrok, liet hij daar ook de naam achter die Slang hem had gegeven en hij noemde zichzelf voortaan Jongen. Daarmee wilde hij zeggen dat hij opnieuw met zijn leven was begonnen. Hij ging in de leer bij een goede sensei en werd na jaren van oefening en studie een echte samoerai. Hij bleef zich echter Jongen noemen en trok van dorp naar dorp om de mensen op het land te helpen en zo zijn misdaden uit te wissen. In een van die dorpen ontmoette hij een meisje dat Vlinder heette.'

'Witte Vlinder, bedoel je.'

'Witte Vlinder', herhaalde zijn vader. 'Zo noemde Jongen haar. Hoe wist je dat?'

'Ik heb van haar gedroomd', antwoordde Kodo.

Zijn vader knikte. 'Jongen trouwde met Vlinder', ging hij verder. 'Hij wist dat de bende van de Wildemannen hem zou zoeken. Daarom bouwde hij een hut in een afgelegen dal. Daar kregen Vlinder en hij een zoon die ze Kodo noemden. Ze waren gelukkig met zijn drieën.'

Kodo's vader zweeg.

'Je hoeft niet alles te vertellen, papa', fluisterde Kodo. Hij liet zijn vaders handen los. 'Het is goed zo.'

'Nee, musko, dat is het niet.' Zijn vader schraapte zijn keel. 'Al die tijd was Slang blijven hopen dat Wolf op een dag zou terugkomen. Toen dat niet gebeurde stuurde hij zijn Wildemannen eropuit. Een van hen ontdekte de hut in de Verborgen Vallei. Slang was des duivels toen hij het bericht kreeg. Wolf was van hem. Hij voelde zich bestolen.'

'Moet hij zeggen', snoof Kodo verontwaardigd.

'Slang zwoer wraak te nemen en het kind van Wolf en Vlinder te stelen. Omdat hij niet vertrouwde op de kracht en sluwheid van zijn eigen Wildemannen huurde hij drie ninja's in. Ze kwamen in de nacht, bij vollemaan.'

Kodo huiverde. Hij herinnerde zich de afschuwelijke ogen van de ninja die hij had gedood met het Kortzwaard. Het waren de ogen van zijn ontvoerder geweest! 'Merkten jullie niet dat ze mij meenamen?' vroeg hij.

'Vlinder schrok wakker. Ze wekte me en fluisterde dat ze iets hoorde in jouw kamer. Ik stond op en pakte het Langzwaard uit de zwaardenkast. Vlinder wilde meegaan. Ik verbood het haar, maar dat was zinloos. Jij lijkt erg op haar.' Kodo zag dat zijn vader glimlachte.

'Waren jullie op tijd?'

'De ninja's waren nog in de kamer. Het raam stond open. Een van de drie had jou in zijn armen. De andere twee stonden klaar om hem te beschermen. Vlinder en ik sprongen gelijktijdig op hen af. De man die jou vasthield, gaf je door het venster door naar buiten. Vanuit mijn ooghoek zag ik hoe Vlinder met een achterwaartse salto over hem heen vloog en het Kortzwaard in zijn borst stootte.'

De samoeraisprong, dacht Kodo.

'Buiten klonk hoefgetrappel. Slang had zijn twee meest gevreesde Wildemannen met de ninja's meegestuurd. Ze hadden buiten klaargestaan met Slangs eigen snelle paard.'

'En toen?' Bij de gedachte aan de dolle rit op het paard met de twee Wildemannen, huiverde Kodo opnieuw. Hij twijfelde niet dat het dezelfde mannen waren geweest die de vos hadden afgeslacht.

'Ik kende de schuilplaatsen van de Wildemannen in de bergen. Tot tweemaal toe overvielen Vlinder en ik hen 's nachts. We doodden er velen. Slang wist tot tweemaal toe met jou te ontsnappen. De laatste keer op het nippertje. Ik hakte zijn rechterarm af.' Kodo's vader zweeg.

De dag brak aan in het verkoolde bos. Tot hoe ver zou de brand hebben gewoed? Zou hij het veerhuis met Ichigen hebben bereikt? Kodo wilde er niet aan denken.

'Vertel verder, papa.'

'We besloten dat onze derde aanval op de Wildemannen de laatste moest zijn. Ik maakte me zorgen. Vlinder raakte uitgeput. Ze vocht met haar woede. Ik stelde voor één nacht goed uit te rusten en de volgende ochtend vroeg aan te vallen. Vlinder liet me beloven dat ik haar wakker zou maken, ook als ze diep sliep. Ik beloofde het.'

Ik had je niet geloofd, dacht Kodo. Jij denkt dat je alles alleen moet doen.

'Rond middernacht stond ik op, zo zacht als ik kon, om Vlinder niet te wekken.'

Zie je wel, dacht Kodo.

'Ongezien bereikte ik de laatste schuilplaats van de Wildemannen. Ze waren nog met z'n drieën. Niemand overleefde het. Slang niet, de laatste twee Wildemannen niet en jij en ik niet.'

'Er moet toch iemand zijn blijven leven?' riep Kodo. 'Wie is als laatste doodgegaan?'

'Wat doet het ertoe?'

'Ik wil het weten. Ik was erbij, of ben je dat vergeten?'

'Hoe zou ik dat ooit kunnen vergeten? Ik denk er iedere dag aan, elk uur.'

Ze zwegen. Kodo zag hoe het zonlicht het zwartgeblakerde woud bescheen. 'Vlinder leeft dus nog?' vroeg hij.

Zijn vader stond op. 'Ja, musko', antwoordde hij. 'Vlinder leeft. Kom, we moeten terug naar het veerhuis.'

Kodo volgde zijn vader door het troosteloze woud. Hoewel ze op hun zwaarden steunden, ging het lopen moeizaam. Het was alsof het cederbos hen niet wilde laten gaan en ze er zich stap voor stap aan moesten ontworstelen.

Wij zijn dus dood, dacht Kodo. Nee, wij waren al dood, zonder dat ik het wist. Maar hoe zit het dan met alle jaren die ik niet geleefd heb? Kun je, als je dood bent, tijd overslaan en toch van alles leren? Ik vraag het als we thuis zijn aan Ichigen. Hij moet me alles vertellen. Ichigen! Misschien had het vuur ook het veerhuis verwoest. Ichigen kon geen kant op, hij zou geen schijn van kans gehad hebben. Niet aan denken, dacht Kodo.

Zijn vader bleef staan en streek met zijn hand over zijn hoofd. 'We zijn er bijna. Ik weet niet wat we zullen aantreffen. Maar hoe het ook is, wij hebben elkaar, musko.'

Kodo knikte. De woorden van zijn vader stelden hem niet gerust. Hij vreesde dus ook dat het vuur verder was gegaan dan het cederbos. De laatste tientallen meters door het woud leken nog trager te gaan dan daarvoor. Uiteindelijk bereikten ze de laatste bomenrij. Nahijgend van de inspanning bleven ze staan.

Voor hen strekte het bekende landschap zich uit, schitterender dan Kodo het ooit had gezien. Hij keek naar het veerhuis met de tuin en naar het water van de rivier waarop de zon honderdduizend lichtjes liet dansen.

'Dank je wel, Eeuwige Berg', fluisterde hij.

'De rozenstruik is er nog', riep zijn vader met schorre stem. 'Alles is er nog!' Hij zette een paar wankele stappen naar voren, zodat hij in het volle zonlicht stond, en draaide zich om. 'Kom, musko. Kom.'

Kodo strompelde naar voren en voelde hoe het zonlicht hem verwarmde.

'Wie het eerst bij het huis is', riep zijn vader. Hij begon te rennen en Kodo rende met hem mee. Het was alsof hun voeten de grond niet raakten.

Zijn vader was rechtstreeks naar de rozenstruik gerend. Op een meter afstand bleef hij staan. 'Wat had ik moeten doen als jij er niet meer was geweest?' zei hij.

Kodo keek naar de glanzende, donkergroene bladeren en de grote witte bloemen. Een roos zal nooit een vlinder worden, dacht hij, ook al schenk je haar al je verbeeldingskracht. Daar is ze veel te zwaar voor. Hij haalde diep adem. Er was nog iets. Hij moest ernstig met Ichigen spreken. 'Ik ga binnen kijken,' zei hij, 'om te zien of daar ook alles goed is.'

Zijn vader knikte afwezig.

Kodo haastte zich het huis in. Hij hoefde Ichigen niet op te roepen, want die stond hem al op te wachten.

'Jongen, jongen toch...' fluisterde de Ziel van het Penseel telkens weer.

'Kun jij nog iets anders zeggen?' vroeg Kodo.

'Ik was bang dat ik je nooit meer zou zien.'

'Wist jij wat er ging gebeuren in het cederbos?' vroeg Kodo streng.

Ichigen schudde zijn hoofd. 'Zoals je weet, doe ik niet aan waarzeggerij, maar soms is het beter geen verbeeldingskracht te hebben.'

Kodo dacht aan het verkoolde woud. 'Ja,' zei hij, 'dat is zo.' Hij vertelde wat er die nacht was gebeurd. Ichigen luisterde aandachtig en onderbrak hem niet.

'Weet jij wie de Nachtruiter was?' vroeg Kodo.

'Precies weten doe ik het niet,' antwoordde Ichigen, 'maar ook in de Dodenwereld bestaan er duistere krachten als hebzucht en wreedheid die kunnen worden opgeroepen.'

'Wist jij dat ik dood was?'

'Eh... ik...'

'Ik heb recht op een eerlijk antwoord.'

'Dat is waar', gaf Ichigen toe.

'Nou?'

'Ik wist het', zei Ichigen zacht.

'Waarom heb je het mij niet gezegd?'

'Wat moest ik zeggen?'

'De waarheid, dat ik in de Dodenwereld was.'

'Het is ingewikkelder', begon Ichigen. 'Je vader en jij leven...'

'Leven!' schamperde Kodo. 'Wij zijn morsdood, hoor.'

'Jullie zijn in een tussenwereld,' ging Ichigen verder, 'omdat jullie net als Slang en zijn trawanten de Wereld van de Levenden nog niet kunnen loslaten.'

'Daar gaat het niet om', riep Kodo.

'Waar gaat het dan wel om?'

'Dat ik ouder ben geworden, terwijl ik dood was.'

'Jouw moeder hield zoveel van je, dat ze jouw leven voor je heeft geleefd. Zo heb je die samoeraisprong geleerd, zonder het zelf te weten.'

'En hoe ben ik dan na tien jaar ineens hier bij mijn vader terechtgekomen?'

'Toen je groot en sterk genoeg was, heeft je moeder je laten gaan om je vader te helpen zijn verdriet los te laten.'

'Dat heeft goed geholpen', riep Kodo. 'Hij staat nog steeds naar die struik te staren.'

'De dood is, net als het leven,' zei Ichigen, 'grillig en ondoorgrondelijk.'

'Grillig en ondoorgrondelijk', deed Kodo hem na. Hij had tranen in zijn ogen.

'Vergeef me dat ik tekortschiet', zei Ichigen. Kodo hoorde zijn vader het huis binnenkomen. Ichigen verdween met gebogen hoofd van de fusama.

In de dagen die volgden rijpte er een groots en stoutmoedig plan in Kodo's hoofd. Hij sprak er niet over. Eerst moest hij een antwoord vinden op alle vragen die hij had bedacht.

'Je bent stil, musko', zei zijn vader een paar maal. Hij schonk weer veel aandacht aan de rozenstruik in de tuin en elke dag verving hij de witte roos in de vaas door een nieuwe.

Kodo maakte zich er met een grapje van af. 'Schrijvers zijn altijd stil.'

'Ja, dat zal wel', zei zijn vader. 'Dat weet ik niet.'

Intussen deed Ichigen zijn uiterste best het goed te maken. Ieder moment dat Kodo in de buurt van de fusama kwam, verscheen hij met een stralende lach op het papier en begroette hem alsof hij hem een tijdlang niet had gezien.

'Dag, vriend Kodo!'

'O, ben jij het. Dag.'

Dat was vals, maar het hoorde bij het plan dat Kodo had bedacht.

'Ichigen', begon hij op een morgen. 'Mag ik jou iets vragen?'

'Graag, Kodo.'

'Jij vertelde me toch eens dat wat met inkt geschreven is, voor eeuwig blijft bestaan?'

'Ja ja, dat is zeker zo.'

'En dat schrijvers en dichters de kloof tussen leven en dood kunnen overbruggen?'

'Absoluut. Absoluut.'

'Ik vroeg me af of...'

'Of wat, vriend Kodo?'

'Of wij de kloof tussen dood en leven zouden kunnen overbruggen.'

Ichigen keek hem niet-begrijpend aan.

'Met ons verhaal, bedoel ik. Wat er hier gebeurd is.'

'Ik zie niet in hoe...'

'Het is heel simpel. Jij neemt ons verhaal mee naar de Wereld van de Levenden en zorgt ervoor dat het daar, door jouw magie en inspiratie, bekend wordt. Dat is toch je taak, als Ziel van het Penseel?'

'Jawel, maar...'

'Of vind je ons verhaal niet spannend en dramatisch genoeg?'

'Natuurlijk wel. Het is prachtig en zeer geschikt. Het is alleen...'

Ichigen boog zijn hoofd zo diep dat Kodo voor het eerst de ronde kale plek boven op zijn hoofd zag. 'Het is alleen dat ík niet geschikt ben. Je moet weten...' Ichigen zuchtte diep. 'Ik vrees dat ik mijzelf als Ziel van het Penseel reeds lang heb overleefd.'

'Overleefd? Wat bedoel je?'

Opnieuw een diepe zucht. Het was duidelijk dat het Ichigen zwaar viel dit te vertellen. 'Een ziel kan niet sterven, jongen. Hij kan zichzelf wel overleven, als hij zich niet aanpast aan de Geest van de Tijd. Dan komt een ziel buitenspel te staan en dat is met mij gebeurd. De bloesemblaadjes die ik rondstrooide werden niet meer opgeraapt, laat staan dat ze werden gevangen.' Hij hief zijn hoofd op en keek Kodo met vurige ogen aan. 'Men vond mijn verhalen te opgeklopt, te wollig, te traag en meer van dat fraais. Zo'n tijdsprong als jij hebt meegemaakt, zouden ze ongeloofwaardig en onvoorstelbaar vinden. De uilskuikens en schaapskoppen, geen greintje verbeeldingskracht.'

Kodo grinnikte stiekem achter zijn hand. Uilskuikens en schaapskoppen, dat waren lekkere scheldwoorden, die hij niet mocht vergeten. Hij zei maar niet dat hij van zijn eigen tijdsprong ook niets had begrepen.

'Zo geraakte ik aan lager wal', ging Ichigen verder. Hij rechtte zijn rug. 'Denk niet dat ik er in mijn glorietijd zo uitzag als nu. Ik droeg een wijde, gouden mantel met zwartzijden binnenvoering en een met bladgoud versierde penseelmuts mét een rood kwastje.' Ichigen snoof. 'Uiteindelijk heb ik de eer aan mijzelf gehouden, zoals het een ziel betaamt, en mezelf teruggetrokken.'

'Wie lange tenen heeft, zal vaak struikelen, heeft een wijs man eens gezegd', zei Kodo. Waarom zei hij dat nou? Hij kon zijn tong wel afbijten.

'Bedankt voor je medeleven', snauwde Ichigen.

Kodo wist niet goed wat hij moest zeggen om het goed te maken. 'Kwamen je verhalen nog wel uit je hart?' vroeg hij snel.

'Natuurlijk!' antwoordde Ichigen verontwaardigd. 'Denk je dat ik een oplichter ben?'

'Klaag dan niet. Luister naar de stem van je hart en geloof in jezelf. Geloven ís zien. Ben je die woorden vergeten?'

'Ik weet het.' Ichigens stem klonk vermoeid. 'Ik moet nadenken.
Kom vanmiddag terug. Dan zal ik je mijn antwoord geven.'

Kodo was ongeduldig, maar hij wist dat hij Ichigen de tijd moest gunnen om na te denken. Zijn vader werkte zoals gewoonlijk in de tuin. Kodo had geen zin om bij hem op de grote steen te gaan zitten. Daarom ging hij naar de rivier en liep langs de oever heen en weer. De veerboot dobberde op het water bij de steiger. Gek dat zijn vader en hij niet éénmaal de rivier op waren gegaan.

Hij liep naar de steiger en ging zitten, met zijn benen bungelend boven het bootje. Het water klotste tegen de romp. Hij dacht aan de jaren die hij niet had geleefd. Hoe zou het zijn geweest om met zijn vader en moeder op te groeien in de Verborgen Vallei? Zijn vader zou hem hebben leren zwaardvechten. Kodo dacht aan de wonderlijke sprong die hij had gemaakt. Hij had vast veel geoefend. En van zijn moeder had hij leren schrijven, dat was ook zeker. Hoe was zijn moeder verder geweest? Ze had minstens een van de ninja's gedood in de nacht van de ontvoering en wie weet hoeveel Wildemannen. Als de bende tien jaar laten was gekomen, had ik meegevochten, dacht hij. Zouden we dan nu nog met ons drieën geleefd hebben? Kodo dacht ook aan wat Ichigen hem had verteld. Zou je echt voor een ander kunnen leven?

Hij stond op. Het was tijd dat Ichigen uitgedacht was.

'Ben je daar al?' vroeg Ichigen.

Kodo knikte. 'Ik ben gekomen om je antwoord te horen.'

'Ik zal het je geven. Jullie verhaal is meer dan de moeite waard om gehoord te worden.'

'Dus je doet het?'

'Laat me uitspreken.'

Kodo boog zijn hoofd en bedwong zijn ongeduld.

'Er is één groot probleem: de reis naar de Wereld van de Levenden.'

'Ik breng je', riep Kodo.

'Je weet niet wat je zegt, jongen.'

'Ik breng je', herhaalde Kodo. 'Waarheen ik ook moet gaan. Of denk je dat ik dat niet durf? Ik ben een samoerai.'

'Dat weet ik.' Nu boog Ichigen zijn hoofd. 'We moeten de rivier oversteken.'

'Dat is geen probleem, ik neem je mee op de veerboot.'

'Luister en onderbreek mij niet steeds. Ons reisdoel is de krater op de top van de Eeuwige Berg. Alleen zo kan ik, in mijn huidige toestand, terugkeren naar de Wereld van de Levenden.'

Kodo beet bijna het puntje van zijn tong. Hij gromde.

'Voor jou is het nog te vroeg om naar de overkant te gaan', ging Ichigen verder. 'Vanaf het moment dat jij de rivier oversteekt, zul je langzaam aan kracht verliezen.'

'Dat kan me niet schelen', riep Kodo.

'We zullen de Berg waarschijnlijk niet eens bereiken', zei Ichigen. 'Jij zult weer verdwijnen, uit deze wereld en je vader zal hier achterblijven en ontroostbaar zijn.'

'Je liegt!' riep Kodo. 'Je verzint het, omdat je niet durft.'

Ichigen keek Kodo aan, de tranen stonden in zijn ogen. 'Geloof me, er is niets dat ik liever zou doen. Het is onmogelijk. We hebben geen enkele kans. Mijn besluit staat vast. Het antwoord blijft nee.'

Kodo draaide zich om en liep stampvoetend naar buiten. 'Laffe schaapskop!' siste hij.

Kodo was teruggegaan naar de rivier. Niet naar de steiger, maar naar een wat lager gelegen plek waar het vol lag met kiezelstenen. Hij pakte er een paar op en liet ze een voor een over het wateroppervlak springen.

'Mag ik ook?' Zijn vader stond achter hem. Hij raapte een steen op en liet hem over het water scheren. 'Vijfmaal', telde Kodo.

'Bij zeven keer mag je een stille wens doen, zeggen ze', lachte zijn vader. 'Als het lukt, is de wens voor jou.'

Samen zochten ze naar een geschikte steen. Kodo vond hem. Hij was plat, glanzend en wit. Zijn vader strekte zijn arm naar achteren. De steen danste met grote sprongen over het water. 'Eén, twee, drie, vier, vijf, zes, zeven.'

'Kun jij de overkant halen?' vroeg Kodo.

'Dat is onmogelijk.'

'Je kunt het proberen', hield Kodo aan.

'Soms is iets zinloos, musko. Dan hoef je het niet te proberen.'

'En toch probeer ik het', riep Kodo. 'Ik probeer het, hoor je me. Ik laat me door niemand tegenhouden, ook niet door jou.' Hij draaide zich om en liep woedend weg. 'Geen greintje verbeeldingskracht', gromde hij. Zijn vader keek hem niet-begrijpend na en haalde zijn schouders op.

Zodra hij binnen was, liep Kodo rechtstreeks naar de fusama en schopte hard tegen het hout. Zijn voet deed er pijn van. Ichigen verscheen op het papier en staarde hem met vonkende ogen aan.

'Laat dat, uilskuiken! Gedraag je niet als een vlegel.'

Op dat moment kon Kodo zich voorstellen hoe indrukwekkend Ichigen er vroeger als de Ziel van het Penseel moest hebben uitgezien in zijn wijde, gouden mantel met zwartzijden binnenvoering en met zijn met bladgoud versierde penseelmuts met het rode kwastje. Kodo boog zijn hoofd en mompelde iets.

'Ik versta je niet.'

'Het spijt me dat ik een onwelvoeglijke vlegel was.'

'Het is al goed. Ik heb mijn besluit herzien, ik zal je vergezellen.'

Kodo's hart sprong op en neer als de witte steen die zeven lange tellen over het water had gedanst. Zijn stille wens was verhoord.

Het leek gezellig tijdens het avondmaal. Kodo's vader was niet teruggekomen op wat bij de rivier was voorgevallen en Kodo deed zijn uiterste best om het goed te maken.

'Zal ik nog wat sake inschenken voor je, pap?' vroeg hij voor de derde of vierde keer.

'Ja lekker, doe maar.' Kodo voelde hoe zijn vader toekeek hoe hij de warme drank inschonk. De sake dampte uit het kommetje.

'Zullen we morgen met de boot de rivier opgaan?' vroeg zijn vader nadat hij een slokje had genomen. 'Het is toch gek dat we dat nog nooit hebben gedaan.'

Kodo wist niet wat hij zeggen moest. Hij mompelde iets.

'We kunnen een eindje stroomafwaarts varen en dan weer terug. Misschien kunnen we zelfs vissen.'

Kodo raakte in paniek. Hij dacht aan wat Ichigen hem had verteld over het verdwijnen uit deze wereld als hij de tocht niet kon voltooien. Dan zou hij zijn vader kwijtraken, en zijn vader hem. Toch moest hij de tocht naar de Berg maken. Hun verhaal moest de Wereld van de Levenden bereiken. Dat moest!

'Dus we spreken af dat wij morgenmiddag gaan varen', lachte zijn vader. Slurpend nam hij een slokje van de sake. 'Ik verheug me er nu al op, musko.'

'Ik ook', zei Kodo, maar hij keek zijn vader niet aan.

De maaltijd had lang geduurd. Kodo's vader was steeds spraakzamer geworden en Kodo steeds stiller. Wat als hij inderdaad te verzwakt zou zijn om terug te keren, of, erger nog, de krater niet eens zou kunnen bereiken? Ichigen zou hulpeloos zijn zonder hem.

'En nu gaan wij sjlapen', lachte zijn vader met dubbele tong. 'En morgen gaan wij vááren. Of zullen we nu gaan? Nee, breng me naar bed, jongen. Het is goed dat ik vannacht niet tegen de Nachtruiter hoef te strijden.'

Kodo hielp zijn vader opstaan. Hij had spijt van de vele kommetjes sake die hij hem had ingeschonken. Voor die spijt was het nu te laat, maar hij kon nog altijd besluiten om niet te gaan. Ichigen zou het niet erg vinden.

Voorzichtig leidde hij zijn vader naar zijn kamer en hielp hem op zijn slaapmat. 'Morgen gaan wíj vááren, musko, morgen...'

In het donker draaide Kodo zich om. Hij pakte het dekbed van de plank en voelde de harde vorm van de dolk die eronder verborgen lag. Met het dekbed in zijn handen liep hij terug naar zijn vader en dekte hem toe. Hij snurkte hevig.

'Kodo.' Op het donkere papier van de fusama stond Ichigen. 'We moeten gaan.'

'Ik weet niet of...'

'Dat weet je wel. Pak het mes en snijd me los. Ik ben lang genoeg opgesloten geweest.'

Zonder na te denken pakte Kodo de dolk en sneed Ichigen los uit de fusama.

'Luister, als je mij straks hebt opgerold, kan ik niet meer met je praten. Weet dat ik je wel kan verstaan en dat jij mijn gedachten kunt voelen. Voor we gaan, moet ik je iets zeggen. Het is belangrijk.'

'Ik luister.'

'Ik weet dat jij weinig moet hebben van geduld en vertrouwen', begon Ichigen.

'Geduld en vertrouwen zijn goed voor ouwen', grinnikte Kodo.

'Je vergist je', zei Ichigen ernstig. 'Als ons plan lukt, zul je geduld en vertrouwen nodig hebben om te blijven geloven.'

Kodo haalde zijn schouders op. 'Ik zal eraan denken. Is dat alles?'

'Nee, eh... ja. Wat ga je doen?'

Kodo was al weg. Hij rende naar zijn kamer en pakte een tekstrol die hij een paar dagen geleden had geschreven. Het was het eerste geweest dat hij had gedaan, nadat zijn plan bij hem was opgekomen. Met de rol in zijn hand liep hij terug naar de kamer.

'Wat is dat? Wat heb je daar?'

Kodo antwoordde niet. Zorgvuldig hing hij de tekstrol op, naast die van Vlinder en Vosje.

'Lieve, lieve Wolf', hoorde hij Ichigen zachtjes lezen. 'Simpel en vanzelfsprekend. Echt mooi, Kodo.'

Kodo pakte het stuk fusamapapier en rolde het op.

'Niet zo hard!' siste Ichigen. 'Je kraakt mijn botten.'

Voorzichtiger ging Kodo verder. Met de punt van de dolk prikte hij gaatjes in de beide uiteindes en reeg er een koord met een rood kwastje doorheen, dat hij die middag had gemaakt. Kodo deed het koord over zijn hoofd, zodat de rol op zijn rug hing en liep naar zijn kamer. Het Kortzwaard lag klaar op zijn slaapmat. Hij trok het wapen uit zijn schede en stak het tussen zijn obi. Ze waren klaar voor de reis.

Met de lantaarn in zijn hand rende Kodo naar de aanlegsteiger. Plotseling bleef hij staan en liep terug naar het veldje met de kiezelstenen. Hij zocht er drie uit, zo plat, glad en wit als hij kon vinden. Snel rende hij verder. Het licht van de maan werd weerspiegeld in het stille zwarte water van de rivier. Kodo liet zich in de boot zakken en legde de drie witte stenen op de steiger. 'Lieve, lieve Wolf.'

Op de bodem van de boot stond een kistje, precies op de plek waar een week geleden het vosje had gelegen. Had het kistje er toen ook gestaan? Kodo kon het zich niet herinneren. Het deksel was niet op slot.

Met het licht van de lantaarn scheen hij in het kistje. Er lagen bruine leren riemen in en het halster van een paard. Kodo deed het over zijn hoofd. Misschien kwam het onderweg van pas. Hij kroop naar de voorplecht en hing de lantaarn op, zodat die boven het water zweefde. Daarna maakte hij de boot los van de steiger. De reis naar de Foedji was begonnen.

'We gaan rennen, Ichigen', zei Kodo, nadat ze aan de overkant uit de veerboot waren gestapt. 'Honderd passen rennen en daarna honderd passen lopen. En dat tien keer achter elkaar. Daarna stoppen we, ook honderd tellen. En als we dat tien keer hebben gedaan, stoppen we om te rusten of om wat te eten. Ik heb berekend dat het de snelste manier is om vooruit te komen zonder uitgeput te raken.' Het koord op zijn borst trilde even. Ichigen was het met hem eens. 'Als we lopen, kunnen wij niet praten, want dan moet ik tellen, begrijp je?' Het koord trilde opnieuw. 'Ben je er klaar voor? Daar gaan we.'

Kodo rende de nacht in. Hij rende en liep en telde en rustte tot de zon achter hen opkwam en de Foedji ontwaakte voor een nieuwe dag. Het was tijd om te rusten en iets te eten.

'Het gaat geweldig, Ichigen', zei hij. 'Het kan niet beter. Ik ben nog helemaal niet moe. Ik ga een vuurtje maken en dan rooster ik een van de rijstkoeken die ik heb meegenomen. Wil je er ook een?'

De ruk aan het koord maakte Kodo duidelijk dat Ichigen het een irritante vraag vond.

'Dom van me. Ik was vergeten dat zielen niet eten.' Kodo nam een van de rijstkoeken die hij had verpakt in een stuk wit papier en roosterde hem boven de vlammen. De platte koek zwol op en kleurde lichtbruin. Kodo brandde er bijna zijn mond aan. Thuis vond hij altijd dat een rijstkoek geen smaak had, maar nu smaakte hij heerlijk. Hij kauwde langzaam om er zo lang mogelijk van te genieten.

'Het is hier prachtig, Ichigen', zei hij met volle mond. 'Jammer dat jij niets kunt zien. We staan op een enorme grasvlakte, groen, zover je kunt zien. En de lucht is stralend blauw. Wat komt daar aan?' Een ruk aan het koord. 'Rustig, ik moet even goed kijken. Ik zie een ruiter. Nee, het is alleen een paard.'

In de verte kwam hen, met grote snelheid, een paard zonder ruiter tegemoet. 'Het is bruin, Ichigen. En hij heeft een rode doek om zijn hals. Die wappert als een vlag. Het is net een samoerai die ten strijde trekt.' Een kort rukje. 'Nee, ik denk niet dat hij kwaad wil.'

Het paard was vlakbij en stormde recht op hen af. Toen het stilstond, stoven er wolken van stof op. Het was een prachtig paard, zijn roodbruine huid glansde van het zweet in het licht van de zon. Kodo zei niets, ondanks de felle rukjes aan het koord. Hij was sprakeloos. Zijn hart danste in zijn borst. Het bruine paard dat voor hem stond en hem aankeek had de ogen van de vos die hij in het cederbos gevonden en weer verloren had. Om zijn hals droeg hij een rode slab*.

'Kitsune-chan', jij bent het', fluisterde Kodo. 'Jij bent het écht.' Het paard streek met zijn voorhoofd langs Kodo's wang en nam het losse eind van het koord met het kwastje in zijn bek. Een nijdige ruk. Kodo grinnikte. 'Ichigen, Vos is gekomen om ons te helpen. Nu zullen we het zeker halen.' Hij ontdeed zich van het halster dat hij in het kistje in de veerboot had gevonden en deed het over het hoofd van het paard. Opnieuw een venijnig rukje van het koord. 'Ichigen vraagt of je niet al te wild zult rennen en of je niet meer aan zijn waardigheid wilt sabbelen. Hij vindt dat onwelvoeglijk en ook gewoon smerig.'

Het paard hinnikte. Ze stegen op en vlogen snel als de wind over de grasvlakte, de Foedji tegemoet.

Het was al in de middag toen ze stopten. De zon stond hoog aan de hemel en de Foedji was zo dichtbij dat Kodo de machtige aanwezigheid van de berg voelde in zijn lijf. Ook Ichigen leek onder de indruk, want hij hield zich ongewoon stil.

Kodo roosterde twee rijstkoeken en voerde er een aan het paard. 'Zonder jou hadden we er zeker twee dagen over gedaan', zei hij. 'En, weet je, ik ben nog helemaal geen kracht kwijtgeraakt. Ik voel me even sterk als aan het begin.' Ichigen trok aan het koord. 'Wat is er? Ik zie niets. O, daar.'

---

* Rode slab: In Japan is een rode slab een belangrijk symbool voor bescherming.

88

Achter hen, in de verte, naderde een gestalte. Een rukje. 'Ichigen voorspelt gevaar', zei Kodo. Hij boog voorover naar het paard en fluisterde. 'En anders zegt hij altijd dat hij niets met voorspellen en waarzeggerij te maken wil hebben.'

Kodo negeerde de hardnekkige rukjes van het koord. Wat kon er gevaarlijk aan zijn een eenzame reiziger te verwelkomen? In afwachting van zijn komst roosterde Kodo de laatste rijstkoeken om er een aan te kunnen bieden.

'Hier, Vos, deze is nog voor jou. Ze zijn lekker, hè?'

De reiziger was vlakbij. Het was een monnik, een lange man met een kaal hoofd en een ernstig gezicht. Hij was gekleed in een donkerrode pij die tot aan zijn hals was gesloten. In zijn linkerhand droeg hij een zwarte, houten staf.

'Welkom, pelgrim', zei Kodo, want dat leek hem het juiste woord. 'Mag ik u vragen bij mij te komen zitten en u een rijstkoek aanbieden. Het is weinig, maar het is al wat ik heb.'

De monnik ging zitten. Hij legde zijn staf naast zich op de grond en nam de koek met zijn linkerhand aan.

'Bent u net als ik op weg naar de top van de Eeuwige Berg?' vroeg Kodo.

De monnik knikte en kauwde op de koek.

'Het is voor mij de eerste keer dat ik hem beklim. En u?'

'Ik beklim de Berg elk jaar aan het eind van de zomer', antwoordde de monnik. Hij had een zachte, vriendelijke stem. Echt een monnikenstem, vond Kodo. 'Je verdwaalt snel,' ging de monnik verder, 'zeker in het bos, dat de Bomenzee wordt genoemd. Ik kan je de weg wijzen, als je wilt.'

'Graag', zei Kodo. 'Ooeehm!' Hij stikte bijna, zo hard had Ichigen aan het koord getrokken.

'Wat is er, jongen?'

'Niets', zei Kodo en hij rukte minstens zo hard terug. Ichigen reageerde niet.

De monnik was klaar met eten. 'Wat een prachtig paard heb je daar.' Hij stond op en strekte zijn arm om het voorhoofd van Vos aan te raken. Het paard deinsde briesend terug. 'Is hij altijd zo schichtig?'

'Nee,' antwoordde Kodo. Hij voelde zich niet op zijn gemak. Misschien had hij naar Ichigen moeten luisteren.

Vos steigerde. Zijn voorpoten sloegen in de lucht. De slab om zijn hals en zijn witte manen bewogen wild mee. Toen hij neerkwam, schopte hij zijn achterlijf omhoog en rende weg.

'Wat een wonderlijk dier', zei de monnik. 'Het lijkt wel alsof hij ergens van is geschrokken. Dat zal toch niet van mij zijn?'

'Nee, natuurlijk niet', lachte Kodo. 'Hij is gewoon...'

'Jaloers?' glimlachte de monnik. 'Dat begrijp ik best. Ik zag meteen dat jullie heel gehecht zijn aan elkaar. Hoe heet je eigenlijk?'

'Kodo', antwoordde Kodo. Jaloers, dacht hij, natuurlijk, dat is het. Vos is jaloers. Dat zou ik ook zijn als hij een ander paard ontmoette en te weinig aandacht voor mij had. En wat Ichigen betreft, die moet niet zeuren.

'We overnachten in een hut, halverwege de berg', zei de monnik. 'Morgen staan we in alle vroegte op om de top te beklimmen. Je zult niet weten wat je daarboven meemaakt, Kodo. Zullen we verder gaan?'

Kodo aarzelde. En Vos dan? dacht hij.

Het was alsof de monnik zijn gedachte raadde. 'Als jij morgen beneden komt, staat dat paard op jou te wachten', lachte hij. 'Kom, we gaan.'

Tijdens de tocht naar de hut voerde de monnik voortdurend het woord. Kodo kon zijn aandacht er niet bijhouden. Hij maakte zich zorgen om Ichigen, die na zijn onbeheerste ruk aan het koord geen teken van leven meer had gegeven. Wilde de Ziel van het Penseel niets zeggen of kon hij het niet? Het was een erg harde ruk geweest. En er was nog iets waar Kodo zich ongerust over maakte. Hij was doodmoe geworden, hoewel het pad naar de hut nauwelijks zwaarder was dan een wandeling. Was hij zo moe omdat hij de vorige nacht niet had geslapen, of begon hij aan kracht te verliezen zoals Ichigen had gezegd? Ging dat zo snel?

Tegen de avond bereikten ze de hut. Er waren geen andere reizigers. 'Je ziet er vermoeid uit, Kodo', zei de monnik. 'Ga even liggen, dan zal ik kijken of onze voorgangers iets te eten voor ons hebben achtergelaten.'

Kodo had nauwelijks voldoende kracht om het koord met de papierrol over zijn hoofd te trekken. Hij was zo uitgeput dat hij blij was dat hij kon gaan liggen. Ik mag niet in slaap vallen, dacht hij. Ik moet eerst Ichigen spreken. Met een laatste krachtinspanning sloot zijn hand zich om de rol.

Het was donker in de hut toen Kodo wakker werd. Zijn hand ging naar het Kortzwaard in zijn obi. Het wapen was weg! Hij schoot overeind. Gelukkig, naast hem lag de papierrol. Iets verder zat de monnik in het licht van een kaars bij een kleine brander van aardewerk waarop een pot stond te pruttelen. Waar was het Kortzwaard?

'Ik heb je zwaard daar neergelegd', wees de monnik. 'Ik was bang dat je je eraan zou bezeren tijdens je slaap. Ben je een beetje uitgerust?'

Kodo knikte en kroop onder het dekbed vandaan, waarmee de monnik hem had toegedekt. De geur van het eten die uit de pot opsteeg, maakte hem hongerig.

'Ik heb bloem en sjalotten gevonden', zei de monnik, 'en er een papje van gemaakt. Ik denk dat het nu wel gaar is.'

Na het eten voelde Kodo zich aangesterkt. Gelukkig, dacht hij. Ik was moe omdat ik niet had geslapen en te weinig had gegeten. Ik heb kracht genoeg. Hij keek naar de monnik. Die zag er ook niet vermoeid uit.

'Ik ga slapen, jongen', zei hij. 'Wie morgen het eerste wakker wordt, wekt de ander. Slaap lekker. Zal ik de kaars uitblazen?'

'Nee, dat doe ik straks wel. Welterusten.'

De monnik ging liggen. Blijkbaar had hij zijn slaapplaats eerder in orde gemaakt.

Kodo wachtte ongeduldig. Hij moest zo snel mogelijk met Ichigen spreken. En hij mocht niet vergeten het Kortzwaard naast zijn slaapmat te leggen. Zachtjes gaf hij een rukje aan het koord. Ichigen reageerde meteen. Hij was in elk geval weer bij kennis. Kodo stond op en liep naar de slaapplaats van de monnik om te kijken of de man sliep.

De monnik lag languit, met zijn mantel hoog opgetrokken tot aan zijn kin. Waarom gebruikte hij geen dekbed, dat was warmer? Kodo boog voorover en luisterde naar zijn ademhaling. De monnik sliep.

Snel sloop hij terug naar zijn slaapmat en ontrolde het bovenste deel van het papier. Het woedende gezicht van Ichigen staarde hem aan. Zijn ogen schoten haast vuur. 'Je hebt me zowat gekeeld! Ik ben urenlang buiten bewustzijn geweest.'

'Ssst', fluisterde Kodo. 'De monnik slaapt. Het spijt me als ik je pijn heb gedaan, maar jij liet mij ook bijna stikken.'

'Dat deed ik om je te waarschuwen. Waar zijn we? Wat is er gebeurd?'

Kodo vertelde in het kort over de tocht naar de hut en de maaltijd die de monnik voor hem had klaargemaakt.

'Toch vertrouw ik die vent voor geen yen*', fluisterde Ichigen.

'Als hij kwaad gewild had, had hij mij in mijn slaap kunnen overvallen', zei Kodo.

Ichigen liet zich niet overtuigen. 'Ik voorspel je dat er iets verschrikkelijks te gebeuren staat. Laten we vluchten, Kodo, nu het nog kan.'

'We zullen in het donker verdwalen. Trouwens, ik dacht dat jij geen waarde hechtte aan waarzeggerij en voorspellingen?'

'Ik vertrouw die vent niet. En ik voel mij onzeker. In deze toestand weet en kan ik niet meer dan een gewone sterveling.'

Ze zwegen.

'Hoe gaat het met je?' verbrak Ichigen de stilte. 'Heb je nog voldoende kracht?' Zijn stem klonk bezorgd.

'Meer dan genoeg.'

'Opschepper', grinnikte Ichigen. 'Goed, we doen het op jouw manier, jongen. Beloof me alleen dat je erop let dat hij tijdens de beklimming niet achter je loopt en probeer van hem af te komen zodra we bij de krater zijn.'

'Dat beloof ik je.'

'Met de hand op je hart?'

'Met de hand op mijn hart.'

'En Kodo...'

---

* Yen: Japanse munt.

'Ja?'

'Bedankt voor dat kwastje.'

Voorzichtig rolde Kodo de rol op. Daarna haalde hij het Kort-zwaard en legde het wapen naast zich neer. Hij ging op zijn zij liggen, met het kwastje van het koord in zijn hand. Een zacht rukje. 'Ik ook van jou', mompelde hij. 'Tot morgen, vriend Ichigen.'

Kodo werd gewekt door een kort rukje aan het koord. 'Laat me toch slapen', gromde hij en hij draaide zich om. Een tweede rukje, en een derde. 'Ja, ja, ik sta al op.' Hij ging rechtop zitten en wreef de slaap en de vermoeidheid uit zijn ogen.

De monnik was al op. 'Lekker geslapen, Kodo? Ik heb de pap van gisteravond voor je opgewarmd. Hoef je niet met een lege maag op pad.'

Kodo stond op. Hij stak het Kortzwaard tussen zijn obi en hing de papierrol op zijn rug. Staand at hij zijn pap op.

'Zullen we gaan?' De monnik was gereed om te vertrekken. Tot Kodo's verbazing hing er een kleine bos takken met een touw aan zijn schouder. 'Op de top is het koud', legde de monnik uit. 'Het is goed wat warmte mee te nemen.'

De tocht naar de top was veel zwaarder dan het gedeelte dat ze de vorige dag hadden afgelegd. Kodo bleef, zoals hij Ichigen beloofd had, de monnik volgen. Een paar maal stond de man stil. Hij hijgde zwaar. 'Ga jij maar voor', zei hij. 'Ik volg je in mijn eigen tempo.'

Kodo schudde zijn hoofd. 'We gaan snel genoeg. Zal ik de tak-kenbos voor u dragen?'

'Als je dat voor me doen wilt, jongen, graag.'

Naarmate ze de top naderden, ging het steeds moeizamer. De flanken van de berg waren omringd door nevel. Soms zagen ze niet verder dan tien passen vooruit. Kodo voelde hoe kil en vochtig de papierrol was. Ichigen moest het ijskoud hebben in zijn dunne gewaad. Hij gaf een bemoedigend rukje aan het koord. De reactie was bibberend. Misschien komen we straks boven de wolken en schijnt op de top de zon, dacht Kodo. 'Reken daar maar niet op', klonk het klappertandend in zijn hoofd.

Voor hem gleed de monnik uit in het zwarte zand.

Ze klommen verder, de lucht werd ijler. Kodo merkte het aan de ademhaling van de monnik, die steeds zwaarder werd. Hij was opgelucht dat het met hemzelf zo goed ging. Als hij al aan kracht verloor, ging het zo langzaam dat hij het niet merkte. Als Vos beneden op hem wachtte, zou hij de reis naar huis makkelijk kunnen maken.

De monnik gleed opnieuw weg. Hij had zijn staf nodig om op de been te blijven. Ik kan hem boven niet achterlaten als hij geen kracht meer heeft, dacht Kodo. Hij heeft mij ook geholpen toen ik uitgeput was.

Ichigen reageerde niet. Hij moet bevangen zijn geraakt door de kou, dacht Kodo. Als hij maar niet onderkoeld raakt. Hij pakte het kwastje en klemde het in zijn hand.

Zo bereikten ze de top. Van de enorme krater was door de laaghangende mist weinig te zien. Kodo herinnerde zich zijn belofte aan Ichigen. 'Bedankt dat u mij hierheen hebt gebracht', zei hij en hij stak zijn hand uit als teken van afscheid.

'Wil je je niet even warmen aan het vuur?'

Kodo liet de takken van zijn schouder glijden. Ichigen moet half bevroren zijn, dacht hij. Hij heeft de warmte van het vuur hard nodig. 'Heel even dan,' zei hij, 'om de ergste kou te verdrijven.'

De monnik knielde bij de takkenbos en probeerde met één hand het touw los te maken dat het hout bijeenhield.

'Laat u mij maar', lachte Kodo. Hij trok zijn Kortzwaard, pakte het touw vast en hakte het los. 'Ik zal het vuur voor u maken.'

'Als je dat zou willen doen.'

Ondanks het vocht en de kou lukte het Kodo snel een vuurtje te maken. Voldaan warmde hij zijn handen boven de opschietende vlammetjes.

'Stommeling!' Kodo werd achterovergesleurd. Voor hij besefte wat er gebeurde, had de monnik het koord met de papierrol over zijn hoofd getrokken. Hij zwaaide er opgewonden mee in het rond.

'Ben je gek geworden? Geef terug!'

'Je weet niet wie ik ben, hè?' riep de monnik.

Kodo herkende de snijdende stem meteen. Voor hem stond Slang, de hoofdman van de Wildemannen, de aartsvijand van zijn vader. Kodo trok het Kortzwaard. 'Geef die rol terug of ik hak je slangenkop eraf.'

Ze draaiden om het vuur heen. 'Ik weet dat jij erg gehecht bent aan dit stomme stuk papier.' Slang lachte spottend. 'Je praat ertegen.' Met een onverwachte beweging stak hij het uiteinde met het rode kwastje in het vuur.

'Ichigen!' gilde Kodo.

'Hoor ik dat goed?' grijnsde Slang. 'Je hebt het papier zelfs een naam gegeven, dwaas die je bent.'

'Help me', kreunde Ichigens in Kodo's hoofd. Door de warmte van het vuur was hij bijgekomen.

Machteloos, met het Kortzwaard in zijn hand, zag Kodo hoe het fusamapapier vlam vatte. 'Geef hem terug', smeekte hij. 'Geef hem alsjeblieft terug.'

'Schuif eerst je zwaard hierheen, over de grond, met het gevest naar voren.'

Kodo deed het meteen. Hij moest Ichigen redden.

'En nu kom je naar mij. Langzaam, stap voor stap. Lángzaam, zeg ik. Ja zo...' Op het moment dat Kodo vlak bij Slang was, wierp die de papierrol van zich af, greep Kodo om zijn keel en klemde hem tegen zich aan. 'Zo, nu heb ik jou waar ik je hebben wilde, jongen. Jij wilde de krater van de Foedji zien? Ik zal je hem laten zien. Jammer alleen dat jij het niet aan je pappie zult kunnen vertellen.'

'Kodo, ik verbrand, red me!' Ichigens stem klonk wanhopig. Kodo zag dat de kleine vlammetjes het koord met het kwastje hadden bereikt. Hij keek strak naar het vuur. Ogen, dacht hij. Ogen. Slang sleepte hem mee, maar Kodo's ogen dwaalden niet af. Ogen, ogen. Het koord met het kwastje schoot los, zwiepte door de lucht en sloeg met de kracht van een zwaard de vlammen een voor een neer. Ichigen was gered.

'Slang! Laat mijn zoon vrij!'

Uit de mist doemde Kodo's vader op. In zijn hand hield hij de boog uit het Onderaardse.

'Wolf!' riep Slang. 'Weet je het nog? Jaren geleden stonden wij zo tegenover elkaar. Jij met je onfeilbare boog en ik met jouw zoon in mijn overgebleven arm.'

Kodo's vader spande de boog. 'Laat mijn zoon vrij!'

'Schiet dan, Wolf. Schiet. Herinner je het je nog? Hoe je jankte toen de pijl die voor mij bedoeld was je eigen zoon trof, recht in zijn hart? Schiet!'

Kodo voelde dezelfde pijn in zijn borst die hij had gevoeld in het Onderaardse. Als een wild paard trapte hij naar achteren en raakte Slang vol op zijn schenen. Die kermde en kromp in elkaar van de pijn. Kodo rukte zich los. De pijl uit de reusachtige boog vloog door de lucht en raakte Slang, die zich net weer oprichtte, met een doffe dreun in zijn borst. Hij werd achteruitgeworpen, stond wankelend op en verdween, met beide handen om de pijl in zijn hart geklemd, strompelend in de mist.

Voor Kodo naar Ichigen kon rennen, was zijn vader bij hem. 'Het is voorbij, musko. Het is voorbij.'

Kodo weerde hem af. 'Ichigen!' Hij wees naar de smeulende papierrol. Een plotselinge windvlaag deed een paar verkoolde snippers van de rol opdwarrelen als zwarte vlinders. Het waren vlinders! En het werden er steeds meer. Het koord met het rode kwastje zwiepte door de lucht en trok de rol open, zodat de wind er vat op kreeg. Het fusamapapier klapperde, met de zwarte vlinders er dansend en fladderend omheen.

Het papier schoot omhoog. Het steeg met grote sprongen en draaide en keerde op de vleugels van de wind. De zwerm zwarte vlinders volgde de bewegingen van het witte papier. Kodo en zijn vader keken ademloos toe en zagen hoe de zon door het grauwe wolkendek brak, recht boven de krater van de Eeuwige Berg.

De hemel, hij blijft altijd blauw!

97

Kodo herinnerde zich de woorden van het gedicht dat Ichigen voor hem had voorgedragen nadat ze vriendschap hadden gesloten. Hij sprong op en neer en zwaaide met zijn armen. 'Ichigen! Ichigen!'

Hoog in de blauwe lucht stond het witte papier stil als een vlieger in de wind, met het rode koord met het kwastje als staart. De zwarte vlinders verspreidden zich over het papier en schilderden Kodo's naam.

'Niet te geloven', stamelde zijn vader.

In het stralende en schitterende licht van de zon veranderden het papier en de vlinders in een vogel die leek op de statige kraanvogel die Kodo in zijn droom had gezien op het dak van de Gouden Tempel. Maar deze vogel leefde en zijn veren waren veelkleurig als van de regenboog. Om zijn hals bungelde een rood kwastje.

Kodo's vader schudde zijn hoofd. 'Ongelooflijk. Wat is dit voor een vogel?'

'Een penseelvogel, denk ik', lachte Kodo. 'Ichigen!' schreeuwde hij. 'Vaarwel, vriend Ichigen! Vertel ons verhaal!'

'Ah-ah!' krijste de vogel als antwoord en hij dook snel als een pijl naar het hart van de krater. Toen was hij verdwenen. Het wolkendek sloot zich.

'Heb ik dit echt gezien?' vroeg Kodo's vader. 'Ik kon mijn ogen niet geloven.'

'Geloven is zien,' lachte Kodo, 'ook al snap je er geen snars van.'

Ze hadden vergeefs gezocht naar het lichaam van Slang. Het enige dat ze vonden waren de monnikspij en de staf.

Kodo herinnerde zich wat Ichigen had verteld over het verliezen van kracht. 'We kunnen hier niet lang blijven', zei hij. 'We moeten terug.'

'Je hebt gelijk, musko. We gaan meteen.'

Tijdens de afdaling vertelde zijn vader hoe hij 's morgens had ontdekt dat Kodo was verdwenen. 'Ik begreep er niets van dat je het papier uit de fusama had gesneden. En nog bedankt voor die drie witte stenen.'

'Hebben ze geholpen?'

'Twee wensen zijn al vervuld', lachte zijn vader. 'Eerst keerde de veerboot uit zichzelf terug van de overkant en...' Hij wachtte even. 'Ik ben op tijd gekomen.'

'En je derde wens?' vroeg Kodo.

Zijn vader deed zijn wijsvinger voor zijn lippen. 'Dat is een heel stille wens', fluisterde hij. 'Daar mag ik niet over praten.'

Kodo knikte begrijpend.

'Ik was zo bang dat ik niet op tijd zou komen', ging zijn vader verder. 'Ik had de moed bijna opgegeven, toen een paard met een rode slab mij in galop tegemoetkwam.'

'Dat was kitsune-chan', zei Kodo trots.

'Kitsune-chan?'

'Ja. Hij is paard geworden om ons te helpen.'

'Hoe bestaat het?' verzuchtte zijn vader. 'Ik geloof je meteen. Na wat ik boven heb gezien, sta ik nergens meer van te kijken.'

Beneden stond Vos in alle rust op de groene vlakte te grazen. Bij zijn achterbenen lagen twee platgetrapte maskers die Kodo meteen herkende. Vos had wraakgenomen op de Wildemannen. Hun lichamen waren net als dat van hun leider spoorloos verdwenen.

'Hoe kan dat?' vroeg Kodo.

'Ik weet het niet, musko. Misschien is het omdat je het kwaad wel kunt bestrijden, maar niet kunt vernietigen. Het verdwijnt en zal ergens anders weer opduiken.'

Kodo dacht aan Ichigen. 'Gelukkig kunnen ze het goede ook niet vernietigen', lachte hij.

Vos bracht hen snel en veilig over de groene vlakte terug naar de rivier. Tijdens de rit zat Kodo voor zijn vader op het paard. Hij was zo moe dat hij beurtelings steun zocht bij zijn vader en bij de hals van het paard.

'Volhouden, musko, het duurt niet lang meer', hoorde hij zijn vader een paar maal zeggen. Zijn stem klonk bezorgd.

Nadat ze waren afgestegen, hinnikte Vos luid. Hij steigerde, draaide zich om en stoof weg. De rode slab om zijn hals wapperde achter hem aan. Kodo was niet verdrietig. Hij wist dat ze elkaar zouden terugzien.

Hij volgde zijn vader naar de veerboot, die aan de oever op hen wachtte. De avondzon tekende hun lange schaduwen op het water van de rivier. Kodo keek naar het veerhuis en de tuin met de kersenbomen en de rozenstruik, tegen de achtergrond van het verbrande woud. 'Waar denk je aan, musko?' vroeg zijn vader.

'Aan ons', antwoordde Kodo, 'en aan geduld en vertrouwen.'

*

Van heel ver hoor ik
langverwachte voetstappen
in het dorre blad.

Buson, 1715-1783

---

*   Herfst.

Kodo wist dat hij nog niet alles wist. Zijn vader had hem niet verteld wat er was gebeurd nadat hij hem had geraakt met de pijl uit de boog van de oude samoerai. Kodo vroeg er niet naar. Op een dag zal hij het mij vertellen, dacht hij. Ik moet geduld en vertrouwen hebben. Geduld en vertrouwen? Kodo grinnikte.

Ongemerkt was de zomer overgegaan in de herfst. De bladeren van de kersenbomen in de tuin begonnen te verkleuren. De knoestige stammen van de bomen en de rode en bruine herfsttinten van de bladeren herinnerden Kodo aan Ichigen en aan zijn mooie, ouderwetse woorden. Hoe zou het met hem gaan in de Wereld van de Levenden?

De rozenstruik bij de rots droeg allang geen bloemen meer en de donkergroene bladeren hadden hun glans en hun kleur verloren. Kodo ergerde zich niet aan de aandacht die zijn vader aan de struik schonk. Het was alsof hij zich na de gebeurtenissen op de Foedji niet meer buitengesloten voelde...

Op een nacht schrok Kodo wakker. Hij herinnerde zich geen droom. Er was iets, hij voelde het met iedere vezel van zijn lichaam. Buiten regende het, maar dat was niet bijzonder. Zou hij zijn vader waarschuwen? Maar wat moest hij hem zeggen?

Kodo stond op. Hij liep naar de buitendeur, schoof die op een kier en stapte door de nauwe opening naar buiten. De regen kletterde op het afdak boven zijn hoofd. In de tuin brandde een lichtje. Hij schoof de deur verder open en liep door de stromende regen naar buiten. Onder de laatste kersenboom bleef hij staan.

Zijn vader zat op zijn knieën voor de rozenstruik, met gebogen rug en met zijn handen voor zijn gezicht. Wat deed hij daar? Hoe lang zat hij er al? Kodo zette een stap vooruit. Hij wilde hem aan-

---

*   Water.

raken, maar hij durfde niet. Zijn vaders rug bewoog met kleine schokken. Hij huilde.

Kodo luisterde naar het geruis van de regen op de herfstbladeren van de kersenboom. Mijn vader huilt, dacht hij, en de hemel huilt met hem mee, zo groot en eenzaam is zijn verdriet. Met zijn vuisten drukte hij zijn eigen tranen terug achter zijn ogen. De regen droop van zijn haar in zijn gezicht. Toen kon hij zich niet langer bedwingen en huilde met zijn vader mee.

Eindelijk nam de regen af. Hij was doornat en verkleumd. Kodo wilde niet dat zijn vader zou weten dat hij hem gezien had. Hij draaide zich om en liep terug naar het veerhuis.

Zijn vader maakte hem wakker. Het licht van de lantaarn in zijn hand scheen op zijn bleke, natte gezicht.

'Ik ben vannacht buiten geweest', begon hij. 'Nu ga ik slapen, maar eerst moet ik je vertellen wat er is gebeurd nadat ik jou had doodgeschoten.' Zijn vader wachtte even voor hij verder ging. 'Ik was gek van woede en pijn. Ik stormde op Slang en de laatste twee Wildemannen af en slachtte ze af. Daarna begroef ik jou.'

'En Vlinder?' vroeg Kodo.

'Ik kon haar niet onder ogen komen. Ik nam het Kortzwaard en doodde mezelf, zoals een samoerai moet doen.'

'Niks samoerai', zei Kodo fel. 'Je had moeten blijven leven, voor Vlinder én voor jezelf.'

Zijn vader zweeg. 'Misschien', glimlachte hij. 'Ik weet het niet. In de Wereld van de Levenden gelden andere regels dan hier.' Hij stond op en draaide zich om.

'Pap!' riep Kodo.

'Wat is er, musko?'

Kodo stond op. 'Je had moeten blijven leven, maar ik ben blij dat je bij mij bent.' Hij sloeg zijn armen om zijn vaders middel en drukte zijn gezicht in de doorweekte kleren.

De lucht was hoog en blauw toen Kodo die morgen buitenkwam. Boven de rivier hing een kleine witte wolk. Kodo keek naar de berg in de verte. Hij dacht aan Ichigen en probeerde zich de eerste twee regels van hun vriendschapsgedicht te herinneren. Verder dan twee losse woorden: 'verlangen' en 'schilder', kwam hij niet. Waarom had hij niet beter geluisterd toen Ichigen het voor hem voordroeg?

Misschien kon hij beter denken als hij op de rots zat. Hij liep erheen door het natte gras en klom op de grote steen, die warm was van de zon.

De rozenstruik! Het was alsof de zomer in de plant was teruggekeerd. Verwonderd keek Kodo naar de glanzende, donkergroene bladeren, waartussen zich iets kleins en wits ontvouwde. Het was een vlinder, een witte vlinder die haar vleugels spreidde. Fladderend steeg ze op naar de kersenboom en landde op een bruin blad.

Kodo stond op en rende naar het veerhuis. 'Pap, Pap! Kom snel!'

Zijn vader was al opgestaan en stond in de deuropening, met het snoeimes in zijn hand.

'Wat is er?'

'Vlinder is gekomen. Ze kroop uit de rozenstruik en vloog naar de kersenboom.'

'Wát zeg je?' Zijn vader liet het snoeimes vallen en rende met Kodo mee.

Tientallen witte vlinders fladderden van de rozenstruik naar de kersenboom en landden op de herfstbladeren. Er kwamen er steeds meer tevoorschijn. Met zwermen tegelijk stegen ze op en verzamelden zich in de boom.

'Zie je dat, musko?'

Kodo knikte en lachte. Hij keek naar zijn vader, die er veel jonger en slanker uitzag dan hij hem kende. Dit was Jongen op wie zijn moeder verliefd was geworden.

Als op een afgesproken teken stegen de vlinders op.

'Ze gaan naar de rivier', riep Kodo. 'Kom!' Hij pakte zijn vader bij zijn hand en trok hem mee.

Het licht van de zon spatte in duizend stukjes uiteen op het water van de rivier. De zwerm vlinders scheerde laag over de glinsterende golfjes en keerde, met een brede boog, terug naar de oever. 'De vlinders willen dat wij in de veerboot gaan', riep Kodo. 'Zij zullen ons naar de overkant brengen.'

'Maar hoe...?'

'Kom!'

Ze lieten zich vanaf de steiger in de boot zakken. Kodo maakte het touw los. Zijn vader wilde de vaarboom pakken. 'Laat liggen', riep Kodo. 'Verbeeldingskracht werkt het best als je alles loslaat.'

De vlinders fladderden om de veerboot, die langzaam begon te varen. Kodo kroop naar voren. 'Sneller, vlinders', riep hij. De boot kliefde door het water. Hij keek naar de overkant en dacht aan de kraanvogels die hij op de laatste winterdag de lente had zien begroeten. Zij kenden het geheim van het geluk, had zijn vader verteld.

Kodo klom op de voorplecht. Hij ging staan en spreidde zijn armen. 'Nóg sneller', riep hij. De boot versnelde opnieuw. Het water spatte hoog op. De zon verwarmde zijn gezicht. De wind streek langs zijn haren. Kodo sloot zijn ogen. Hij vloog, statig en roerloos, als de kraanvogel op het dak van de Gouden Tempel. Heel veel vertrouwen, dacht hij, en een klein beetje geduld, dat is het geheim van geluk.

Over de rivier klonk het lied van een sjakoehatji en de geur van brandend rozenhout hing in de lucht. 'Geloven is zien, horen en ruiken', lachte Kodo, 'én vliegen natuurlijk.'

'Musko!' riep zijn vader. 'Ik zie Vlinder. Ze komt eraan. Echt waar! Mijn derde wens is vervuld.'

Kodo opende zijn ogen, maar hij had niet hoeven kijken om te zien wat hij zag. Aan de overkant naderde in daverende vaart een ruiter te paard. De hoeven van het dier leken de grond nauwelijks te raken. De rode slab om zijn hals stond strak als een vlag in de storm. De ruiter, een jonge vrouw, was geheel in het wit gekleed. Haar zwarte haren wapperden vrij om haar hoofd. Kodo sloot zijn ogen.

'Vlinder!' schreeuwde zijn vader. Zijn stem sloeg over. 'Vlindertje!' De veerboot botste tegen de oever. Door de schok verloor Kodo zijn evenwicht en landde plat op zijn buik in het gras.

Zijn vader en moeder renden elkaar tegemoet. Op een afstandje keek Vos toe.

Kodo krabbelde overeind. 'Dit is pas een gemoedstoestand', grinnikte hij. Hij keek naar de Foedji en dacht aan Ichigen, de versleten Ziel van het Penseel, die voor hem door het vuur van de Eeuwige Berg was gegaan. Opeens herinnerde hij zich de ontbrekende regels van het gedicht.

Al je verlangens,
Schilder ze aan de hemel!
Hij blijft altijd blauw.

Kodo prentte de versregels in zijn hoofd, om ze voor altijd in zijn hart te sluiten. Toen rende hij naar zijn ouders, die hem met vier wijd open armen ontvingen.

De kleine witte wolk, die al die tijd boven de rivier was blijven hangen, kwam in beweging en dreef weg, in de richting van de Foedji. Alleen een toevallig passerende windvlaag verstond wat hij fluisterde: 'Het is ons gelukt, vriend Kodo. Bedankt voor alles. Vaarwel.' Neuriënd vervolgde de wolk zijn weg. De windvlaag keek hem na, met opgetrokken wenkbrauwen. Want een neuriënde witte wolk met een rood kwastje is zelfs, daar waar alles één is en niets onmogelijk, een uiterst merkwaardig verschijnsel.

VERANTWOORDING

Voor en tijdens het schrijven van *Kodo* ben ik geïnspireerd door Japanse schrijvers, dichters, kalligrafen, tekenaars en filmers. Het gaat te ver hier al hun namen op te sommen, maar ik ben hun veel dank verschuldigd. Enkele namen noem ik wel, omdat ik iets uit hun werk heb overgenomen.

In de eerste plaats Eji Josjikawa, de auteur van *Moesasji*, een roman over de legendarische samoerai *Mijamoto Moesasji**, die leefde aan het eind van de zestiende eeuw. De tekst van 'de stem' van de boog op bladzijde 43 is een vrijwel woordelijk citaat uit dit boek. Verder heb ik veel van Moesasji geleerd over de levenshouding van de samoerai en de beschrijving van de vechtscènes.

Onder de haiku bij de seizoenen staan de namen van de dichters. Daarnaast zijn er twee haiku's in het verhaal zelf verwerkt. Het gedicht over de twijg *die weet van het geheime leven diep in de wortels*, is van de hand van Shoichi. Dat over *de altijd blauwe hemel*, is geschreven door Ichigen. Alle haiku's komen uit de bundel *Japans gedicht***. Als eerbetoon aan de haikudichters heb ik Ichigen de Ziel van het Penseel genoemd.

De silhouetjes die Kodo's dromen begeleiden, komen uit het schetsboek van Hokusai die leefde tussen 1760 en 1849 en die befaamd is geworden om zijn *Zesendertig gezichten op de Fuji****. Het familiewapen van de kraanvogels, dat elk seizoen afsluit, is een ontwerp van een mij niet bekende kunstenaar uit de Edoperiode aan het eind van de zeventiende eeuw.

---

*   Josjikawa, Eiji. (1985) *Moesjasji*. Amsterdam/Brussel: Elsevier.
** Van Tooren, J. (1985). *Japans gedicht, de mooiste haiku, senryu en tanka*. Amsterdam: Meulenhoff.
*** Michener, James. (1958) *The Hokusai sketchbox, selections from the manga*. Tokyo: Charles. E. Tuttle Company of Rutland, Vermont & Tokyo.

Ook de namen van de kalligrafen van de karakters van de seizoenen en de elementen ken ik niet, maar ik spreek graag mijn bewondering uit voor hun fijnzinnige en krachtige penseelstreken die *Kodo* sieren.

BERT KOUWENBERG

DE REISGENOTEN
Bert Kouwenberg

Giai weet niet waar hij vandaan komt. Ar-
turo Salgari, de herbergier van het Huis
van de Lente, vond het jongetje op een
witte wintermorgen in een zak aan een
tak van de kersenboom. Giai weet dat
hij anders is dan zijn broers en zusje,
maar hij voelt zich thuis in de herberg.
Tot op een dag een vreemde reiziger
binnenstapt.

De gast zat aan een hoektafel, met zijn gezicht naar de deur. Zijn
bontmantel was zwart, net als de grote verenhoed op zijn hoofd.
De man draaide zich om. Ze keken elkaar lang aan, geen van bei-
den zei iets. Onwillekeurig stapte Giai achteruit. Hij is voor mij gekomen, dacht hij, maar waarom?

Javidan, de geheimzinnige Kraaienman, neemt Giai mee op een
lange reis door Italië. Een gevaarlijke tocht, want ze worden op de
hielen gezeten door de Wolvenruiters.

BERT KOUWENBERG trekt met Giai en Javidan rond in het Toscane
van de renaissance. Een sfeervol avontuur vol intrigerende perso-
nages en mysterieuze gebeurtenissen. Over liefde en vertrouwen,
het verschil tussen goed en kwaad en ontdekken wie je bent.